Achim Schwarze

D0234811

# Alles über Kontaktanzeigen

Wer sie schreibt, wie man sie versteht, und
was man daraus macht

Eichborn.

*Vielen Dank an alle meine Gesprächspartner für ihre Offenheit.*

Achim Schwarze, 35, hat bisher fast 30 Bücher geschrieben; zwei Drittel davon sind zwischen Humor und Satire angesiedelt, bei den anderen handelt es sich um bewährte Ratgeber. Bekannteste Titel: »Dünnbrettbohrer in Bonn – aus den Dissertationen unserer Elite« und »Fremdgehen«. Der Autor lebt und arbeitet in Berlin.

© Vito von Eichborn & Co Verlag KG, Frankfurt am Main, September 1993.
Umschlaggestaltung: Uwe Gruhle unter Verwendung einer Zeichnung von Erich Rauschenbach.
Satz: Oliver Warnke
Druck: Fuldaer Verlagsanstalt
ISBN 3-8218-3307-6
Verlagsverzeichnis schickt gern: Eichborn Verlag, Kaiserstr. 66, 60 329 Frankfurt/M.

# Inhalt

# Einleitung

## Lösung Kontaktanzeige!

Immer mehr Menschen sind auf Partnersuche und fragen sich: Warum auf das Schicksal warten? Sie probieren es mit Kontaktanzeigen – mal sehen, wen man so kennenlernt. Und sollte einem zwischendurch »auf normalem Wege« die große Liebe begegnen, sagt man halt die Blind Dates der nächsten Woche ab.

Kontaktanzeigen sind modern, praktisch und (fast) gesellschaftsfähig. Ihre Vorteile liegen auf der Hand: Ohne umständliche Vorwände wie VHS-Kurs, Vereinsmitgliedschaft oder endlose Kneipenaufenthalte kann man potentielle Partner kennenlernen. Man kann direkt sagen, was man zu bieten hat und welche Art von Partner man sich wünscht, und es melden sich nur Leute, die damit etwas anfangen können. Man trifft sich, lernt sich kennen, und auch wenn es nicht »funkt«, hat man sich doch interessant unterhalten.

In der Kontaktszene gibt es keinesfalls mehr »Versager« und »Übriggebliebene« als im Durchschnitt der Bevölkerung. Über die Kleinanzeigenspalten der Stadtmagazine und Zeitungen suchen und finden ganz »normale« Frauen und Männer aus allen Schichten der Gesellschaft ihr Glück – denn das Inserat wird immer mehr als eine neue Art der Partnersuche akzeptiert.

Der einzige ganz wesentliche Unterschied zwischen dieser Art des Kennenlernens und dem »normalen Weg« besteht darin, daß man auf Partys oder an der Bushaltestelle unendlich viele Informationen über einen Unbekannten bekommt, ohne ein Wort mit ihm gesprochen zu haben: Auf den ersten Blick erkennen wir unterbewußt an Kleidung, Haltung, Mimik, Gesichtszügen, Figur und Bewegung, mit wem wir es ungefähr zu tun haben – vor allem, ob uns diese Person »liegt«. Bei Kontaktanzeigen muß ein Telefonat (oder ein Briefwechsel) diese überaus wichtigen visuellen Informationen ersetzen.

»Erfolg« hat eine Kontaktanzeige nicht nur, wenn man durch sie seinen »Traumpartner« gefunden hat. Man unterhält sich auch vorher schon bestens, wenn es einem gelingt, die richtigen Annoncen zu texten oder auszuwählen und – vor allem – am Telefon die Spreu vom Weizen zu trennen. Dann lernt man – wie auf einer Party – neue, interessante Menschen kennen. Nicht selten beginnen mit einem Inserat Freundschaften zwischen Männern und Frauen. Man entdeckt gemeinsame Interessen, Einstellungen und eine Wesensverwandtschaft, findet sich aber erotisch nicht sehr anziehend. Diese platonischen Beziehungen bleiben über Monate, manchmal Jahre bestehen – oftmals blühen sie neben dem eigentlichen Bekanntenkreis; man trifft sich immer zu zweit und redet über Dinge, die man allen anderen Freunden und Bekannten nicht anvertrauen möchte.

Um mit Kontaktanzeigen Erfolg zu haben und sich auch nicht zu langweilen, bevor man seinen »Traumpartner« gefunden hat, muß man die Spielregeln des Kontaktens kennen. Diese Grundmuster des Erfolges habe ich für dieses Buch systematisch herausgearbeitet: Seit 1980 verfolge ich die Entwicklungen der Kontakt-Szene. In etwa 170 persönlichen Interviews und weiteren 250 teilweise mehrstündigen Telefonaten ließ ich mir die Erfahrungen berichten, die Frauen und Männern mit Kontaktanzeigen gemacht haben.

Speziell für die Arbeit an diesem Buch habe ich Inserenten mehrere Wochen oder Monate nach Erscheinen ihrer Anzeigen geschrieben oder sie angerufen. Etliche waren inzwischen gebunden. Manche suchten noch aktiv. Andere pausierten gerade. Die meisten freuten sich über mein Interesse und haben mir ausführlich berichtet, was sie erlebt und »gelernt« haben.

Während es vielen leichter fiel, anonym am Telefon mit mir zu sprechen oder sich zu einem Interview unter vier Augen in Cafés und Restaurants mit mir zu treffen, machten einige Frauen und Männer spontan mit, als ich vorschlug, sich zu viert oder fünft zu treffen. Diese Abende waren besonders spannend. »Was hast du erlebt? Wie hast du probiert, schon am Telefon die Richtigen von den Falschen zu trennen? Was war dein lustigster Reinfall?« Eine Anekdote folgte auf die nächste. Es wurde hemmungslos geklatscht. Jeder hatte noch eine Story oder ein Kurzportrait beizutragen: Geschichten von Blendern und Langweilern, von überzogenen Fantasien und »leider nicht gestellten« Fragen, von Leuten, die auf den zweiten Blick dann doch interessant wurden, und von den Haken, die nach dem Herzrasen auftauchten. Natürlich auch Geschichten vom Verlieben.

Einmal traf ich mich mit drei Sekretärinnen, die sich ab und zu einen Spaß daraus machten, sich alle drei mit demselben Mann zu verabreden, ohne ihm natürlich zu sagen, daß sie sich kennen. Ein anderes Mal trank ich mit einer Frau Kaffee, die ihren Ordner mit 160 Antworten mitbrachte und mir ihre persönliche »Top Ten« mit Fotos und Geschichte präsentierte.

Besonders aufschlußreich waren meine Gespräche mit Paaren, die sich per Annonce kennengelernt hatten. Sie konnten mir erzählen, mit welchen Hoffnungen und Erwartungen sie sich von der Annonce über Brief und Telefonat zum Blind Date vorgetastet hatten, welche wechselseitigen Mißverständnisse und Überraschungen es gab - und was sie jetzt anders machen würden.

Eine Reihe meiner Bekannten und Freunde hat Erfahrungen mit Kontaktanzeigen. Ich konnte an ihnen beobachten, wie sie sich im Laufe ihrer Annoncen zu Profis entwickelt und wie sie schließlich ihre nächsten Partner gefunden haben. Hinzu kommen reichlich eigene Erlebnisse als Inserent und Briefeschreiber.

Dieses Buch ist also die Essenz aus dem immensen Erfahrungsschatz von zusammen ca. 1.900 Blind Dates, die die von mir interviewten »Anfänger« und »Profis« hinter sich haben.

Was braucht man vor allem, wenn Kontaktanzeigen Spaß machen und erfolgreich sein sollen? Man sollte zwischen den Zeilen der Annoncen lesen bzw. selbst ein wirksames Inserat verfassen können, man sollte wissen, wie man einen überzeugenden Antwortbrief schreibt, wie man sich beim ersten Telefonat verhält und wie man sich bei einem Blind Date angenehm unterhält.

Wenn Sie dieses Buch flüchtig durchblättern, wird Ihnen auffallen, wie besonders umfangreich meine Ausführungen über das »Telefonieren« sind. Ich hätte dieses Kapitel auch »Kennenlernen« nennen können, denn genau das wird dort beschrieben: alle Themen und die dazu passenden Frage-Antwort-Spiele, die für ein Kennenlernen über Annoncen wichtig (und daher auch typisch!) sind. Die Fragen und Themen, die bei einem ersten Telefonat besprochen werden, können genauso gut auch Gegenstand eines Briefwechsels sein oder beim ersten Treffen erörtert werden. Ich habe sie aus Gründen der Übersichtlichkeit unter »Telefonieren« zusammengefaßt. Außerdem ist das Telefonat im Vergleich zum Briefwechsel oder dem Gespräch beim Blind Date die schwierigste Art der Kommunikation: Man kann nicht so lange überlegen wie beim Brief, aber man hat auch nicht so viele nonverbale Informationen (Aussehen, Blickverhalten, Mimik, Gestik) wie beim ersten persönlichen Treffen.

Es mag Ihnen auch etwas verwunderlich erscheinen, daß ich das Texten eigener Annoncen und das Lesen von Inseraten in einem gemeinsamen Kapitel bespreche. Ich tue dies, weil es beim Texten genauso wie beim Lesen um die tatsächliche Bedeutung und die Wirkung von Begriffen geht, oft auch um ein ähnliches Vokabular. Wer eine optimale Annonce texten will, sollte wissen, wie die Leser welche Formulierungen erfahrungsgemäß verstehen: Wer eine Annonce richtig verstehen will, sollte sich vorstellen können, was Inserenten mit ihren Formulierungen eigentlich gemeint haben könnten.

Dieses Buch heißt »Alles über Kontaktanzeigen«, weil Sie hier alles erfahren, was zum Verständnis des Phänomens Kontaktanzeige notwendig ist. Ich hätte Ihnen gern zusätzlich ein pralles Bündel interessanter Geschichten geboten, aber dann hätte das Buch wenigstens 200 Seiten länger sein müssen. So ist es in erster Linie ein Ratgeber geworden. Das ist gewiß auch in Ihrem Sinne, denn ich glaube, daß selbst die, die »ganz unbedarft« Kontaktanzeigen lesen, immer auch ein bißchen davon träumen, es selbst einmal mit Inseraten oder Inserenten zu versuchen.

Ich hoffe, daß dieses Buch Ihnen alle Ihre Fragen zum Thema Kontaktanzeige beantworten und unnötige Erfahrungen ersparen kann, vor allem wünsche ich Ihnen viel Spaß und noch mehr Erfolg beim Kennenlernen von (noch) Unbekannten. Eins jedenfalls kann ich Ihnen versprechen: Es wird interessant.

# Wer sucht wen?

## Wer annonciert wann?

Fangen wir mit der größten Gruppe an: Wenn **Singles nach längerem Alleinsein** den Wunsch nach einer neuen Beziehung verspüren, probieren sie es gern mit Kontaktanzeigen. Die letzte Beziehung ist weitgehend überwunden (wenn auch nicht immer ganz bewältigt). Viele haben vorher schon andere Kennenlernmethoden versucht – ohne ausreichenden Erfolg. Bei manchen kann dies zum Gefühl der Einsamkeit und einer gewissen Torschlußpanik geführt haben – schlechte Berater bei der Partnersuche.

**Kurz nach einer Trennung** wollen viele ihr Leben radikal verändern. Sie möchten als eine neue Person, als »ich selbst«, neu anfangen. Oft suchen sie auch einen neuen Bekanntenkreis – weil einem dort der Ex-Partner nicht zufällig über den Weg laufen kann und man dem wechselseitigen Klatsch entgeht. Kontaktanzeigen sind da eine gute Lösung.

Frisch Getrennte wünschen sich außer (oder anstatt) eines neuen Partners auch Ablenkung vom Trennungsschmerz, gelegentlich sogar Trost. Viele fühlen sich einsamer als sie sind. Auch unerwartet attraktive Frauen und Männer probieren kurz nach der Trennung »aus einer Laune heraus« ihr Glück mit Inseraten.

Allerdings sind viele eben erst Getrennte noch nicht reif für eine neue Beziehung. Sie wissen nicht, was sie wollen – und ob überhaupt.

**Überzeugte Singles** auf der Suche nach einer »lockeren« Beziehung kommen deutlich seltener vor als die ersten beiden Gruppen. Ihr Lebensstil ist wenig verbreitet, und es ist nicht leicht für sie, geeignete Partner zu finden. Da erscheinen Kontaktanzeigen wie geschaffen. Diese Personen sind oft beruflich stark engagiert und suchen eine Beziehung, in der man sich seltener sieht und getrennt wohnt. Meist sehen sie ein lockeres Verhältnis mit wenigen Verpflichtungen sozusagen als Probezeit für eine feste(re) Beziehung. Nicht selten läßt sich in dieser Gruppe eine Tendenz zu Oberflächlichkeit und Bindungsangst beobachten.

Gebundene mit dem Wunsch nach einem Seitensprung oder einem »Verhältnis« befinden sich in einer mehr oder weniger unglücklichen festen Beziehung und wollen fremdgehen. Inserate eignen sich ideal, um eine diskrete Affäre zu suchen. Leider nutzen manche die Anonymität der Kontaktanzeigen aus, um ihre wahren Lebensumstände zu verschweigen. Doch auch bei »klaren Verhältnissen« passiert es nicht selten, daß mit der Zeit mindestens eine Seite (vor allem die ungebundene) unter der Perspektivlosigkeit der heimlichen Beziehung leidet oder sich benutzt fühlt.

Gebundene, die ihren Partner verlassen wollen, verlegen sich nur selten auf Kontaktanzeigen. Diese Personen wollen sich durch »fliegenden Wechsel« verbessern und sind um so kritischer bei der Beurteilung der möglichen NachfolgerInnen, je erträglicher die aktuelle Beziehung noch ist. Manche Frauen allerdings suchen händeringend einen neuen Partner, weil der aktuelle die von der Partnerin ausgehende Trennung anders nicht akzeptieren würde oder die Frau Schutz vor der Gewalttätigkeit des von ihr kürzlich verlassenen Mannes sucht.

Eine letzte Gruppe: Wer **neu in der Stadt** ist, versucht mit Kontaktanzeigen, einen Bekanntenkreis aufzubauen und einen Partner zu finden.

# Warum nicht auf »normalem« Weg?

Jeder, der kontaktet, sucht auch auf »normalem« Weg nach einem Partner. Die Frage lautet also: »Warum bist du auf normalem Weg bisher nicht erfolgreich gewesen?« Hartnäckig hält sich das **dumme Vorurteil:** Wer kontaktet, hat versagt, weil er abstoßend oder kontaktgestört ist.

Die Realität sieht jedoch ganz anders aus: Die Kontakt-Kultur in unserer Gesellschaft hat sich gewandelt. Immer ausgeprägtere, verschiedenartigere Ansprüche an Leben und Partner machen es immer unwahrscheinlicher, durch Zufall einen Partner mit ähnlichen Interessen zu finden[1]. Die Gruppen, die traditionell für das Kennenlernen zuständig waren, verlieren an Bedeutung: Immer weniger Kontakte werden über die Verwandtschaft, über Vereine oder die Schulen geknüpft. Die alten Kontakt-Rituale sind weggefallen: Man wird nicht mehr »eingeführt«, man wird niemandem mehr »vorgestellt«, man bittet niemanden mehr zum Tanz.

Immer mehr Menschen haben **keine »normalen« Kontakte, an die man anknüpfen könnte,** um den nächsten Partner kennenzulernen.

Wer z.B. in eine fremde Stadt zieht, um dort zu studieren oder arbeiten, hat weder Familie, noch Schulkameraden oder alte Freunde am Ort, sondern ist auf einige wenige Kollegen angewiesen, die aber häufig nicht die »richtigen« Leute kennen. Nach einem Umzug gelingt es vielen Menschen (manchmal jahrelang) nicht, sich in der neuen Stadt einen Bekanntenkreis aufzubauen.

---

[1] Stark vereinfacht gesagt: Die Zeiten sind vorbei, als eine Frau jeden dritten Mann und ein Mann jede zweite Frau akzeptiert hätte.

Ähnlich traurig sieht es aus, wenn ein Bekanntenkreis zerfällt – weil alle der Reihe nach in andere Städte ziehen oder die Interessen immer weiter auseinanderdriften.

Nach einer Trennung steht manch einer so isoliert da, als sei er gerade erst in die Stadt gezogen. Nun rächt sich, daß die meisten Paare ihren Bekanntenkreis vernachlässigt haben – weil man sich selbst genug war oder Eifersucht vermeiden wollte.

Viele Menschen arbeiten oder studieren mit Leuten zusammen, die völlig andere private Interessen haben als sie selbst. Entsprechend wenig kann man mit ihnen und ihren Bekannten anfangen.

Nur in wenigen Berufen lernt man während der Arbeitszeit neue Leute kennen. Viele Arbeitnehmer kommen in ihrem Job so gut wie nie mit dem anderen Geschlecht in Kontakt (Ingenieur bei Siemens, Schreibkraft im Großraumbüro etc.).

Was läge näher, als den nächsten Partner im Bekanntenkreis zu suchen? Aber: Wieviele Personen Ihres Bekanntenkreises kämen für Sie als Partner in Frage? Die Auswahl in den meisten Cliquen ist gering. »Die Guten sind vergeben.« Außerdem will man der »Inzucht« keinen Vorschub leisten und auch nicht »Wanderpokal« sein. Obendrein kennt man sogar die Bekannten der Bekannten schon auswendig und ist in der Clique oft auf eine Rolle, ein Image festgelegt, das einem nicht entspricht.

Die Auswahl an möglichen Partnern wird mit zunehmendem Alter geringer, denn der Anteil der Singles unter den gleichaltrigen Bekannten nimmt ab. Zusätzlich haben einige Frauen und Männer das Problem, sich viel jünger zu fühlen (und oft auch so zu wirken) als ihre Altersgenossen. Mit den Jahren wachsende Ansprüche und immer mehr Marotten machen es auch nicht gerade leichter, einen geeigneten Partner zu finden.

Man sieht zwar immer mal jemanden auf der Straße, den man interessant finden könnte. Aber vielen Menschen liegt es nun mal nicht, einfach ganz locker wildfremde Leute anzusprechen. Ist man ein uninteressanter Versagertyp, nur weil man zurückhaltend, vielleicht auch ein bißchen schüchtern ist? Muß sich eine Frau vorwerfen, unemanzipiert zu sein, nur weil sie nicht auf Männer zugehen kann oder möchte? Die Angst vor Körben ist nicht unbegründet und auch nicht ehrenrührig. Und selbst wenn man ein »Aufreißertyp« wäre: Wo sollte man hingehen, um angemessene Leute zu treffen?

Eine zunehmende Zahl von Singles hat **keine Zeit fürs Kennenlernen.** Vertreter, Stewardessen und alle Außendienstler verbringen einen Großteil ihrer Freizeit in fremden Städten – in Städten, in denen sie keine Beziehung beginnen können.

Karrieremenschen und Workaholics haben nur sehr wenig Freizeit, und dann kaum Lust auf Ausgehen. Für Männer und Frauen in gehobenen Positionen ist es nicht einfach, einen angemessenen, gleichrangigen Partner zu finden – oder jemanden, der für die Erfordernisse der Karriere Verständnis hat. Die Auswahl ist klein, die Ansprüche hoch.

Alleinerziehende haben wenig Zeit (nicht nur zum Ausgehen) und damit auch wenig Gelegenheit zum Kennenlernen. Viele erleben zudem, daß »seit der Geburt des Kindes die alten Kontakte einschlafen«. Die alten Freunde haben »keinen Bock auf deine Lebenssituation«. Hinzu kommt, daß viele Männer keine Frau mit Kind wollen. Selbst wenn sie Kinder nicht grundsätzlich ablehnen, möchten sie sich doch erst für Kinder entscheiden, wenn sich die Beziehung zu einer Frau als tragfähig genug erwiesen hat.

**Ungewöhnliche Partner(schafts)wünsche** erschweren die Suche nach dem oder der »Richtigen« ganz erheblich. Für Sadomasochisten, Gummifans oder Paare mit Interesse an Gruppensex ist die Annonce die effektivste Möglichkeit, Gleichgesinnte kennenzulernen. Aber auch jeder, der sich eine feste Beziehung ganz ohne Sex wünscht, ist gut beraten mit einem Inserat. Frauen oder Männer mit dem Wunsch nach wesentlich älteren oder jüngeren, ungewöhnlich kleinen oder großen Partnern finden »auf freier Wildbahn« nur äußerst selten einen geeigneten Partner. Ebenfalls regelmäßig liest man Anzeigen, in denen nach einer bestimmten Nationalität, Sprache oder Hautfarbe gesucht wird.

Viele Frauen und Männer haben **Probleme mit der eigenen »Attraktivität«** – und zwar auf verschiedene Arten: Wenn man dem gängigen Schönheitsideal nicht entspricht, kann die Partnersuche sehr frustrierend sein. Kontaktanzeigen bieten die Chance, jemanden von vergleichbarer Attraktivität zu treffen oder jemanden, dem es vor lauter gemeinsamen Interessen weniger auf das Äußere ankommt.

Eine Reihe ungewöhnlich attraktiver, intelligenter oder erfolgreicher Menschen hat zwar reichlich »Angebote«, aber keine dieser Bekanntschaften erreicht das angemessene Niveau. Besteht man auf einer Liste von Mindesterfordernissen (Persönlichkeit, Interessenüberschneidung, sozialer Status, Attraktivität), kann man lange Single bleiben.

Andererseits ist es oft uferlose Selbstüberschätzung, die Menschen in die Isolation treibt. Sie sind sich viel zu gut sogar für die, denen sie nur gerade noch gut genug wären. Je länger sie allein sind, desto unrealistischer werden ihre Ansprüche.

# Ganz normale Leute oder »Gestörte«?

Immer wieder hört man diese Frage, denn die Vorurteile gegen Kontakanzeigen halten sich hartnäckig. Die Kontaktszene besteht keineswegs aus häßlichen Psycho- und Soziopathen. Man kann nur darüber spekulieren, ob der Anteil der »Gestörten« in den Kleinanzeigenspalten größer ist oder im Rest der Bevölkerung. Richtig ist zweifellos, daß einige schwarze Schafe die Anonymität der Kontaktanzeigen und des Telefons auszunutzen versuchen. Trotzdem wäre es übertrieben, sich vor diesem »Rumpelstilzchen-Effekt« zu fürchten. Eine Frau mit reichlich Blind-Date-Erfahrung sagte mir: »Wen triffst du durch Kontaktanzeigen? Doch nur die Leute, mit denen du dich am Telefon verstanden hast – also nur Menschen, zu denen du nach ein paar Minuten einen Draht hattest. Wenn du eine Viertelstunde lang intelligent telefonierst, ersparst du dir die ›Gestörten‹« – also jene Problemfälle, die man in der Kontaktszene allgemein als »Psychos« bezeichnet.

Wer seinen Gesprächspartner zwar unsympathisch oder »eigentlich zu seltsam« findet, sich aber verabredet, weil man ihm die Geschichte vom »Fotomodell« oder »erfolgreichen Geschäftsmann« erzählt hat, hat einen Reinfall verdient.

Herbe Enttäuschungen beim Blind Date beschränken sich nach einhelliger Erfahrung aller Kontakt-»Profis« auf »Äußerlichkeiten« – und auch in dieser Hinsicht kann man durch geschicktes Fragen weitgehend vorbeugen.

## Welcher Aufwand ist nötig?

In meinen zahllosen Interviews kristallisierte sich folgendes Bild heraus:
Eine durchschnittlich attraktive Person mit realistischen Wünschen sollte mit 10 – 30 Kontakten rechnen, bis sie einmal jemanden trifft, in den sie sich verlieben kann. Etwa jede siebte Bekanntschaft findet man sehr attraktiv.

Von 20 Blind Dates werden 15 – 19 als »angenehm«, »interessant« oder »amüsant« beurteilt. Die echten »Enttäuschungen« bleiben deutlich in der Minderheit. Die Quote hing nach einhelliger Meinung aller (!) Annoncen-Profis nicht vom Glück ab, sondern von der richtigen Interpretation einer Annonce oder der Formulierung des eigenen Inserates – in erster Linie aber von der Geschicklichkeit beim ersten Gespräch am Telefon.

Von 10 Telefonaten, die ein Mann auf seine Annonce mit Telefonnummer erhält, sollte er sich mit höchstens 2 – 5 Anruferinnen verabreden. Von 20 Antwortbriefen, die man auf eine Annonce bekommt, sollte man 15 anrufen und sich mit 8 – 10 verabreden.

Ein Telefonat dauert zwischen 15 Minuten und drei Stunden, kann aber durchaus auf 30 Minuten reduziert werden. Für ein Treffen muß man mit An- und Abfahrt durchschnittlich 3 Stunden rechnen.

# Wen wollen Sie kennenlernen – und wen nicht?

## Gleich und gleich gesellt sich gern

Die Erkenntnisse der Verhaltensforschung und der experimentellen Psychologie sind eindeutig: Je gleichwertiger und ähnlicher die Partner sind, desto besser klappt ihre Beziehung. Statt sich »unter Wert« zu verschwenden oder mit einem »guten Fang« »verbessern« zu wollen, sollte man einen Partner suchen, der einem in Niveau, Interessen, Attraktivität, Einstellungen und Intelligenz ähnelt.

Ist der Partner deutlich gebildeter oder intelligenter als man selbst, dann nimmt er einem die Denkarbeit ab, unterhält einen gut, und man kann etwas lernen. Andererseits fühlt man sich unterlegen und dumm. Man kann nicht mitreden und muß damit rechnen, daß der Partner insgeheim jemanden erträumt, mit dem er sich besser unterhalten könnte.

Ein Partner mit deutlich höherem Einkommen und höherem sozialen Status sorgt zwar dafür, daß man selbst im Lebensstandard aufsteigt. Man fühlt sich aber auch als ausgehaltener Versager, von dem Gegenleistungen und Dankbarkeit verlangt werden. Und man wird nicht ernst genommen.

Ein Partner mit wesentlich mehr Sexappeal und Schönheit erfreut Augen und Lenden – und man wird beneidet. Aber andererseits könnte er sich jederzeit auf eines der vielen Angebote von anderen einlassen, die attraktiver sind als man selbst. Auch die klassische Gegensatzpaarung zwischen der hübschen, jungen, etwas einfach gestrickten Blondine aus kleinen Verhältnissen und dem häßlichen, erfolgreichen, gebildeten Großverdiener und Machtmenschen funktioniert höchstens, solange sie jung ist und er bezahlt.

Viele Frauen erträumen den »Pretty Woman«-Effekt[1], doch er kommt nur im Märchen vor, und selbst dort nur bei Frauen mit einem Aussehen wie Julia Roberts (oder Claudia Schiffer).

Nur in einem einzigen für die Partnerwahl wichtigen Aspekt ziehen sich Gegensätze an: bei der Rollenverteilung. Die eher dominanten, aktiven und initiativen Menschen fühlen sich besonders hingezogen zu tendenziell eher passiveren, reagierenden und leicht unterlegenen Partnern – und umgekehrt.

---

[1] Millionär holt Gossenmädchen in die High Society, große Liebe auf den zweiten Blick, ewiges Glück.

# Wen suchen Sie?

Bevor Sie eine Annonce texten oder ein Inserat beantworten, sollten Sie sich überlegen, was Sie wollen und was (bzw. wen) nicht.

– **Ihre Träume:** Auf der Suche nach einem Kompromiß ist es ganz günstig, zuerst die Träume zu untersuchen. Machen Sie sich eine Liste der erwünschten Eigenschaften und entscheiden Sie, was wie wichtig für Sie ist.

– **Ihre Mindestanforderungen:** Entscheiden Sie sich, welche Aspekte Ihres Traummannes oder Ihrer Traumfrau auf keinen Fall an einem künftigen Partner oder in einer Beziehung fehlen dürfen. Einige Mindestvoraussetzungen **muß** jeder erfüllen, der uns interessieren soll. Ohne was läuft gar nichts? Und worauf legen Sie besonderen Wert?

– **Was wollen Sie auf keinen Fall?** Machen Sie sich eine Negativliste aller Eigenschaften, die Sie nie (wieder) zugemutet bekommen wollen.

Es nützt Ihnen wenig, wenn Sie Ihre Ansprüche unrealistisch hoch schrauben. Der beste Maßstab für das, was Sie nicht nur verlangen, sondern auch bekommen (und dann halten!) können, sind Ihre Ex-Partner.

# Was ist Ihnen wichtig?

Sehen Sie sich die folgende Liste genau an und überlegen Sie, zu welchen der genannten Punkte Sie feste Vorstellungen haben.

Die hier genannten Stichworte werden im Verlauf des Buches zweimal ausführlich erörtert: einmal im Kapitel über das »Texten und Verstehen« von Annoncen und dann noch mal – wesentlich ausführlicher – unter »Telefonieren«.

**Art der Beziehung**
Festgelegt auf feste Beziehung? Lockere Beziehung denkbar? Nur die große Liebe? Wie oft soll man sich sehen? Getrennt wohnen? Vorhandene Kinder, Kinderwunsch? Treue und Eifersucht; Beziehungserfahrungen und frühere Beziehungsprobleme; Rollenverteilung

**Aussehen**
Größe; »optisches« und tatsächliches Alter; Gewicht; Statur, Figur und Konfektionsgröße; Besonderheiten wie Brille, Bauch, Bart, Glatze; Gesicht mit Haarfarbe, Haarlänge, Frisur, Augenfarbe, Mund, Nase, Zähnen, Haut

**Typ, Auftreten und persönlicher Stil**
Wesen; Erscheinung; Kleidung; Grad der Gepflegtheit

**»Schönheit« und Ausstrahlung**

**Intelligenz**
Bücher, Zeitschriften, Zeitungen, Fernsehsendungen

**Beruf, Job, Ausbildung, Einkommen**
Berufsgruppe; Einstellung zum Beruf; Einkommensgruppe, Lebensstandard

**Bildung und Niveau**
Freunde und Bekannte; Gesprächsniveau, Zeitschriften, Bücher; kulturelle Interessensgebiete wie Kino, Theater, Ausstellung, Konzert, Fernsehen; kulturelle Aktivitäten und Hobbys; (Kultur)Geschmack

**Soziale Schicht, Lifestyle und »Szene«**
Bevorzugte Lokale; Markenartikel; Einrichtung; Herkunft

**Persönlichkeit und Charakter**
Tugenden, Stärken; Schwächen; Macken; Neurosen; Drogen; Gewalt

**Einstellungen**
Lebensziele; Religion, Esoterik, Selbsterfahrung; politische Einstellung; Emanzipation

**Humor und Unterhaltung**
Art des Humors; Unterhaltungswert; Unterhaltungsbedürfnis; bevorzugte Art des Gespräches (Plaudern, Schlagfertigkeit, Rumalbern, Lästern, Geschichten erzählen, Philosophieren, Diskutieren)

**Sex**
Sexappeal; Bedeutung des Erotischen; Einstellung und Raffinesse; Häufigkeit; Praktiken; Experimentierfreude, Abenteuerlust; Rollenverteilung

## Was haben Sie zu bieten – und was nicht?

Wen suchen Sie? Sie suchen einen Partner, der jemanden wie Sie toll finden würde bzw. sucht. Manche Wissenschaftler reden in diesem Zusammenhang von »Marktwert«: Je mehr jemand zu bieten hat, desto mehr kann (und wird!) er verlangen und bekommen. Ich meine, daß noch ein weiterer Aspekt hinzu kommt: Je mehr Gemeinsamkeiten man findet, desto eher kann man über ein gewisses (!) Ungleichgewicht hinwegsehen, vor allem in Fragen von Status und Schönheit (weniger aber bei Intelligenz und Einstellungen).

Wo kann man einigermaßen objektiv erfahren, welche Vor- und Nachteile man selbst hat? Ein Student sagte mir dazu: »Ich habe einfach meine Freunde gefragt: ›Was spricht für mich?‹ Meinen Nachteilen war schwerer auf die Spur zu kommen. Man selbst will sich seine Fehler und Schwächen nicht gern eingestehen, das mit der ›objektiven Selbstbeobachtung‹ ist meist nur Augenwischerei. Von seinen Bekannten hört man zwar auch überwiegend höfliche Formulierungen. Die trauen einem nicht zu, daß man realistische Urteile akzeptieren könnte. Aber man kann sich seinen Teil zusammenreimen.« Außerdem bekommt man auf diese Weise einige diplomatische Formulierungsvorschläge geliefert, die man bei den eigenen Annoncen und Telefonaten gut gebrauchen kann.

16

Ein anderer Kontakt-Profi sagte mir: »Ich erinnerte mich an die Vorhaltungen meiner letzten Freundin. Wir waren schon über ein halbes Jahr auseinander, und ich bin immer noch der Meinung, daß sie nicht recht hatte mit ihrer Kritik. Aber ich dachte mir, wenn sie mich so und so mißverstanden hat, dann könnte das der nächsten genauso passieren.«

Eine Architektin begab sich ganz nüchtern auf die Suche nach ihren Schwächen: »Wenn unabhängig voneinander mehrere Personen dasselbe an dir auszusetzen hatten, wird schon was dran sein.«

# Die falsche Einstellung zum Kontakten

Eine überdurchschnittlich attraktive Reisekauffrau erzählte mir: »Bei meinen ersten Telefonaten war ich unfähig und auch unwillig, mich in die Situation der ›anderen Seite‹ reinzudenken. Ich suchte meinen ›Traummann‹ und habe es als Unverschämtheit empfunden, wenn der Typ am anderen Ende der Leitung auch bestimmte Vorstellungen hatte, anstatt sich einfach nur anzubieten und auf Gnade zu hoffen. Was fällt dem eigentlich ein! Soll er doch dankbar sein, daß ich überhaupt mit ihm rede. Wenn ich seine Stimme gut fand und er mich danach trotzdem nach so Sachen wie Aussehen gefragt hat, wurde ich manchmal richtig aggressiv. Ich begriff erst nach ein paar fruchtlosen Treffen, daß man sich sehr wohl für die Bedürfnisse des anderen interessieren sollte. Als ich nämlich an einen geriet, in den ich mich verliebt habe. Nur dummerweise war ich gar nicht sein Typ. Das hätten wir am Telefon klären können.«

Besonders häufig hört man die trotzige Behauptung: »**Äußerlichkeiten sind nicht wichtig!**« – verbunden mit der Weigerung, die eigenen »Äußerlichkeiten« zu beschreiben. Je weniger jemand dem herrschenden Schönheitsideal nahe kommt, desto allergischer fällt seine Reaktion auf das Thema aus. Hinzu kommt ein signifikanter Geschlechterunterschied: Die Verhaltensforschung hat zweifelsfrei nachweisen können, daß das Aussehen des anderen bei der Partnerwahl für Frauen deutlich weniger wichtig ist als für Männer. Viele attraktive Frauen berichten, sie hätten unscheinbare oder sogar »häßliche« Männer geliebt, weil ihnen die »Ausstrahlung« und die »Persönlichkeit« gefallen habe.

Die ungleich größere Bedeutung der physischen Attraktivität bei der Partnerwahl des Mannes können Frauen nicht verstehen und oft auch nicht akzeptieren. In Gesprächen mit Frauen kommt immer wieder deutlich zur Sprache, daß sie nur wegen ihrer Persönlichkeit geliebt werden wollen und fürchten, als dekoratives Objekt gesehen zu werden. Die eben zitierte Reise-

kauffrau sagte dazu: »Eine Frau braucht wohl das Gefühl, ihr Partner würde sie lieben, auch wenn sie nicht so gut aussähe.« Jedenfalls berichteten mir alle Männer, Frauen regten sich darüber auf, daß Männer in Annoncen oder am Telefon immer zuerst nach dem Aussehen (Figur, Gesicht, Haare, Schönheit, Kleidung, Make-up, Erscheinung, »Typ«) fragen.
Sogar schlanke, fotogene Frauen finden Männer unsympathisch, die nach einer »schlanken Frau« suchen und im Annoncentext um ein »Foto« bitten.

Wer mit der Einstellung startet, »**Das Beste ist gerade gut genug für mich!**«, sollte sich seine hohen Ansprüche auch leisten können – oder er bleibt allein.
Nur selten trifft man Kontaktsuchende, die ihre hohen Anforderungen an den »Erfolgen« der Vergangenheit messen und selbst attraktiv genug sind, um sich diesen »Luxus« leisten zu können. Häufiger muß man erleben, daß Menschen sich kompromißlos und trotzig ihren pubertären Traummann-/Traumfrau-Phantasien hingeben, ohne selbst viel in dieser Richtung bieten zu können.

Nicht wenige Unbelehrbare bilden sich ein: »**Wenn du mich siehst, wirst du begeistert sein.**« Denn: »**Ich bin ideal für alle, die mir gefallen!**« (Unattraktive) Menschen mit übersteigertem Selbstbewußtsein glauben besonders fest an ihre magische Ausstrahlung und sehen sich als Erfüllungsgehilfen des Schicksals. Das Opfer einer solchen Person sucht zwar »eigentlich« etwas völlig anderes. »So stand es ganz klar in meiner Annonce«, sagte mir eine 23jährige Angestellte aus dem öffentlichen Dienst, »aber das schien diesen Typen nicht zu stören. Am Telefon war er nett und geheimnisvoll. ›Offen für alles‹, und so weiter. Er legte sich nicht fest, und ich dachte, ein Treffen kann nicht schaden.« Als der Mann sich dann im verabredeten Café vorstellte, war sie schockiert. »Mindestens 20 Jahre älter als ich, Bierbauch, Halbglatze, Anzugtyp – unmöglich. Klar, daß ich sofort gehen würde. Nur spaßeshalber habe ich ihn aber noch gefragt, ob er sich eigentlich einbildet, auf diese Tour eine Frau zu finden. Sinngemäß hat er gesagt: ›Wenn das Schicksal uns füreinander bestimmt hat, wird dir weder mein Alter noch mein Übergewicht was ausmachen. Wenn ich dir aber schon vor einem Treffen die Wahrheit sage, triffst du dich gar nicht erst mit mir und verpaßt vielleicht die Liebe deines Lebens.‹«
Es gibt natürlich auch Frauen, die meinen: »Ich bin so toll, daß jeder gesunde Mensch mich unbedingt haben will.« Mit anderen Worten: »Wer von mir enttäuscht ist, ist doof.«

Mangelnde Auskunftsbereitschaft am Telefon wird oft folgendermaßen begründet: »**Ich möchte geheimnisvoll bleiben.**« Man erzählt möglichst we-

nig von sich, um interessanter zu wirken als man ist, ohne aber lügen zu
müssen. Man legt sich nicht fest, um sich keine Chancen zu verbauen, und
hofft, überschätzt zu werden. Der Bluff funktioniert oft – aber selten über
das erste Treffen hinaus.

»Besser als nichts«, sagen sich manche und dienen sich am Telefon oder bei
Blind Dates Personen an, zu denen sie keinen Draht haben. Je einsamer ein
Mensch ist, desto eher ist er bereit, einen eindeutig unpassenden Partner zu
akzeptieren. Man verschließt die Augen und nimmt, was man bekommen
kann.

# Annoncen aufgeben oder beantworten

## Wer annonciert wo?

In den Großstädten konzentriert sich die Kontaktanzeigen-Szene auf die Kleinanzeigenseiten der **Stadtmagazine**. Die Annoncen sind oft in der Länge begrenzt (üblich sind maximal 250 Buchstaben) und kosten zwischen nichts und 15 Mark plus fünf Mark Chiffre-Gebühr.

Mit Stadtmagazinen erreicht man die Altersgruppe 20 – 45 Jahre. In Städten mit mehreren Magazinen unterscheidet sich die Leserschaft entsprechend dem Image der Blätter (meist: das eine mehr kulturorientiert, das andere leicht flippig-alternativ).

Das Niveau der Inserenten und Leser ist bunt gemischt. Man findet alles zwischen Fließbandarbeiter und Professorin (leider nicht immer deutlich genug gekennzeichnet). Der Anteil der Inserenten mit besserer Schulbildung ist überdurchschnittlich hoch, u.a. weil viele Studenten per Annonce ihren Bekanntenkreis erweitern wollen.

In reinen **Anzeigen-Zeitungen** hingegen annoncieren insgesamt »einfachere«, »normalere« Leute. Man liest nur selten einfallsreiche Anzeigen, viele Inserenten wirken recht bürgerlich. Die Annoncen sind gratis, man kann für wenig Geld mit Bild inserieren.

In **überregionalen Zeitungen** (»Die Zeit«, »Süddeutsche«, »Frankfurter Allgemeine«, »Welt am Sonntag« etc.) annoncieren ausschließlich gut ausgebildete (meist Akademiker) oder gutsituierte Personen (ab 30) nach Partnern auf hohem Niveau. Die Inserate kosten schnell mehrere hundert Mark, sind ernst gemeint (»Heiratswünsche«) und bringen interessante Bekanntschaften mit einem arrivierten, meist bürgerlichen Personenkreis.

Schade, daß der SPIEGEL keinen Kleinanzeigenteil hat.

Regionalzeitungen sind nur für ein Publikum mit bürgerlichen Zügen interessant: die sogenannten »bildungsfernen Schichten« und Leute ab 40. Dies trifft besonders in Großstädten zu, wo alle anderen die Stadtmagazine wählen würden. Die teuren Inserate in Regionalzeitungen strotzen vor Abkürzungen.

In den Kontaktmagazinen der Sex-Shops wird Männern die Illusion verkauft, es gäbe massenweise sexinteressierte Frauen »ohne finanzielle Interessen«. Die meisten der inserierenden Frauen bieten jedoch ihre Dienste als Prostituierte an.

»Echte« Inserate stammen vor allem von Paaren, die gleichgesinnte einzelne Frauen suchen (und selten finden) oder sich mit Paaren treffen wollen (funktioniert). Nicht kommerzielle Kontaktwünsche von einzelnen Frauen findet man am ehesten im Bereich S/M, Leder/Gummi.

Wer als Mann annonciert, erreicht kaum weibliche Singles – jedenfalls verkaufen Sex-Shops derartige Magazine praktisch ausschließlich an Männer. Andererseits habe ich mehrere Gespräche mit Frauen mit masochistischen Neigungen geführt, die ein paar entsprechende Annoncen beantwortet haben, weil der feste Partner mit ihren besonderen Neigungen nichts anfangen konnte.

## Der Anteil der Blindgänger

Die Gratis-Annoncen in den Stadtmagazinen verführen zum Mißbrauch. Sehr viele Angebote (vor allem von Frauen, die unter eindeutig sexorientierten Rubriken inserieren!) sind nicht ernst gemeint. Ich habe mich mehrfach mit Frauen unterhalten, die mir sagten: »Meine Freundin und ich wollten uns einen Jux machen und mal sehen, wer versaute Briefe und Fotos schickt. Ich weiß, das war nicht fair, man hat ein schlechtes Gewissen, aber...«
Hat jemand in der »Zeit« oder einem anderen Blatt für viel Geld annonciert, meint er es ganz bestimmt ernst.

## Die Rubrik

Lesen Sie die Annoncen der verschiedenen Rubriken, um einen Eindruck von der üblichen Angebotspalette zu bekommen, und suchen Sie sich schließlich »Ihre« Rubrik heraus.

**Heiratsanzeigen:** Wenn Sie zwar eine feste Beziehung suchen, aber nicht heiraten wollen, sollten Sie dies in Ihrer Annonce oder Ihrer Antwort erwähnen.
**Bekanntschaftsanzeigen:** In einer Zeitung mit Heiratsanzeigen inserieren unter Bekanntschaftsanzeigen Leute, die nicht unbedingt auf die Ehe festgelegt sind.
**Lonely Hearts:** Die meisten Stadtmagazine bieten unter verschiedenen Namen eine Rubrik für Leute an, die auf der Suche nach einer festen Beziehung sind.

**Kontakte:** Unter dieser Rubrik, die unter verschiedenen Bezeichnungen in vielen Stadtmagazinen angeboten wird, lernen sich Leute kennen, die weniger an einer festen Beziehung als an Lust und Erotik interessiert sind. Es inserieren hier fast nur Männer. Eine Studentin berichtete mir: »Es war Wahnsinn. Ich habe fast 200 Briefe bekommen. Teilweise die härtesten Sachen. Peinliche Nacktfotos vor der Fototapete, seitenlange Briefe mit detaillierten Fantasien. Ich war schockiert. Bis mir dann jemand erklärt hat, daß ich nicht unter ›Kontakte‹ sondern unter ›Lonely Hearts‹ hätte inserieren müssen. Ich war gerade erst nach Berlin gezogen und hatte mir das Stadtmagazin nicht so genau angesehen.«

**Profis:** Manche Stadtmagazine bieten weiblichen und männlichen Prostituierten eine eigene Rubrik an, um die anderen Kontaktrubriken von diesen Personen freizuhalten.

**Gleich und gleich:** So oder so ähnlich bezeichnen Stadtmagazine die Rubriken für homosexuelle Männer und Frauen.

**Harte Welle:** Manche Stadtmagazine haben eine eigene Rubrik für Leute mit ungewöhnlichen erotischen Neigungen (S/M, Dreier etc.) eingerichtet. Es inserieren praktisch keine Frauen, aber einige Paare und vor allem Männer.

**Sonstige:** Mit einem solchen Verlegenheitsausdruck bezeichnen manche Stadtmagazine die Rubrik für unkonventionellen Sex (siehe »Harte Welle«).

**Aktivitäten, Freundschaften:** Hier wollen sich Leute kennenlernen, die keine intime Beziehung anstreben.

# Texten und Verstehen

Ich bespreche das Texten und das Lesen von Annoncen in einem gemeinsamen Kapitel, weil es in beiden Fällen um die gleichen Themen und dasselbe Problem geht: Sehr wenige Worte müssen sehr viel Bedeutung transportieren und werden leicht mißverstanden. Wenn ich also eingehend die Bedeutung der in den Inseraten üblichen Begriffe erläutere und die verschiedenen Annoncen-Stile behandele, dürfte das Inserenten und Leser gleichermaßen interessieren.

In seiner Annonce beschreibt der Inserent sich selbst und den Personenkreis, der ihn interessiert. Für diese komplexe Aufgabe stehen nur wenige Zeilen zur Verfügung (Stadtmagazine ca. 250 Buchstaben, Zeitungen haben hohe Zeilenpreise). In einer gelungenen Annonce steht kein bedeutungsloses Wort. »Es hat Stunden gedauert«, sagte mir ein Möbelrestaurator, »und ich war immer noch nicht zufrieden.« Der Text soll informativ und unmißverständlich sein, aber doch eine eigene Handschrift tragen.

Eine angehende Industriedesignerin hat auf Annoncen geantwortet und »relativ wenige Flops drunter gehabt. Ich habe jedes Wort genau untersucht und erst angerufen, wenn ich meiner ›Interpretation‹ ganz sicher war. Am Telefon (natürlich auch in der Briefantwort) habe ich dann nachgefragt, was der Inserent mit welcher (mehrdeutigen) Formulierung gemeint hat oder erreichen wollte.«

Zwei wichtige Werkzeuge zum Texten und Verstehen von Kontaktanzeigen: der Bedeutungs-Duden (Duden-Reihe Bd. 10, 34 Mark) und der Duden für »Sinn- und sachverwandte Wörter« (Bd. 8, 34 Mark). Hier kann man die Definitionen von Begriffen nachschlagen und Wörter finden, die das Gemeinte präziser und weniger klischeehaft umschreiben.

## Der Wortschatz der Kontaktanzeigen

Immer wieder verwenden Inserenten bestimmte Begriffe, die inzwischen eine »feste« Bedeutung fürs Kontakten bekommen haben. Man sollte diesen Wortschatz kennen, wenn man Annoncen richtig verstehen oder erfolgreich formulieren will. Zwar gibt es noch kein »Kontakt-Lexikon« mit verbindlichen Definitionen, man kann aber trotzdem auf eindeutige Erfahrungswerte zurückgreifen.

### Die Abkürzungen

Leider verstümmeln viele Inserenten ihre Texte durch massenhaftes Abkürzen. Annoncen voller Abkürzungen sind schwer zu lesen, wirken schematisch und kleinlich.

Einige Bedeutungen erklären sich von selbst, ein paar der typischen Abkürzungen aus Kontaktanzeigen sollten hier aber zur Sicherheit übersetzt werden:

| | | | | | |
|---|---|---|---|---|---|
| AB | = | Anrufbeantworter | NS | = | »Natursekt« (gegenseitiges Urinieren) |
| Akad. | = | Akademiker | | | |
| a/p | = | (Homoszene) aktiv und passiv | | | |
| | | | NT | = | Nichttrinker |
| AS | = | Analsex | PT | = | Partnertausch (zwischen zwei Paaren) |
| Astr. | = | Astrologie | | | |
| Ausstr. | = | Ausstrahlung | R 2 | = | Postleitzahlenraum 2, also Hamburg und Umgebung |
| B&B&B | = | Bart, Bauch, Brille | | | |
| Bereich 2 | = | siehe »R 2« | | | |
| Bez. | = | Beziehung | R | = | Raucher |
| bi | = | bisexuell | Raum HH | = | Umgebung von Hamburg (HH = Autokennzeichen) |
| bld. | = | blond | | | |
| br. | = | braun | | | |
| dkl. | = | dunkel | schl. | = | schlank |
| dklh. | = | dunkelhaarig | S/M | = | sadomasochistisch |
| Entt. | = | Enttäuschung | stud. | = | studiert |
| F | = | Frau | Tel-6 | = | Telefonsex |
| FF | = | zwei Frauen (meist Paar) | TS | = | Transsexuelle (hormonell behandelt Männer mit Busen und Frauenkleidung) |
| Fig. | = | Figur | | | |
| GS | = | Gruppensex (mit oder ohne PT) | | | |
| GV | = | Geschlechtsverkehr | TV | = | Transvestiten (Männer in Frauenkleidung) |
| intell. | = | intelligent oder (seltener) intellektuell (mißverständlich) | | | |
| | | | unbeh. | = | unbehaart, also rasierter Schambereich und/oder rasierte Brust |
| Kav. | = | »Kaviar«, also Kot | | | |
| knbh. | = | knabenhaft | | | |
| Kw. | = | Kennwort | unkonv. | = | unkonventionell |
| M | = | Mann | verh. | = | verheiratet |
| MM | = | zwei Männer (meist Paar) | viels. | = | vielseitig |
| | | | W | = | Frau |
| MT | = | Mutter und Tochter (nur Sexmagazine) | Ww | = | Witwe |
| | | | WW | = | zwei Frauen (meist Paar) |
| NR | = | Nichtraucher | z. Verw. | = | zum Verwöhnen |

# Lexikon für Leser und Inserenten

Warum sind die Kontaktanzeigen-Seiten randvoll mit so wundervollen Menschen? Weil die meisten Inserenten versuchen, sich selbst – ohne eindeutig zu lügen – möglichst positiv zu beschreiben.
Auf den folgenden Seiten erfahren Sie, was mit den angenehm klingenden Formulierungen gemeint ist (bzw. gemeint sein könnte). Bitte entschuldigen Sie die teilweise einseitig und negativ wirkenden Definitionen. Selbstverständlich habe ich die Erfahrungen, die meine Gesprächspartner gemacht haben, pauschalisiert und überspitzt formuliert.

## Alter, Größe und Gewicht

Ungenaue oder fehlende Angaben bei Alter und Größe weisen auf Unzufriedenheit mit den eigenen Zahlen hin.
**29, 175, 60** ⇨ Alter, Größe, Gewicht.
**Um 30** ⇨ 32 – 35
**Anfang 30** ⇨ 33 oder 34
**Mitte 30** ⇨ 37 oder 38
**Ende 30** ⇨ 39
**In den 30ern** ⇨ 35 – 39
**jugendlich** ⇨ man fühlt sich jünger als man ist, und sieht evtl. auch so aus, wie man sich einbildet. Wird ab 35 verwendet.
**jünger aussehend** ⇨ wird jünger geschätzt (oder wünscht sich das). Möchte jedenfalls nicht der numerischen Altersgruppe zugeordnet werden.
**optisch 28/wirke wie 28** ⇨ sieht aus wie 28, ist aber älter. Oder: wurde mal auf 28 geschätzt (vor drei Jahren?).
**jung geblieben** ⇨ unklare und spießige Formulierung für »rüstig« (ab 40), die sich auf Aussehen oder Einstellung beziehen könnte.
**Tips für Inserenten:**
Nennen Sie Ihr Alter und Ihre Größe. Die Gewichtsangabe kann durch eine (realistische!) Beschreibung der Statur ersetzt werden.
Wer ungewöhnlich jung wirkt, sagt z.B.: »Werde von Gleichaltrigen auf 27 – 30 geschätzt« oder »bin 35, aber oft 21, und liege optisch dazwischen«.
Wer recht klein ist, kann sagen: »xxx cm, aber aufrechter Gang« oder »xxx cm, aber langbeinig« oder »xxx cm und 14 Paar Pumps«. Vermeiden Sie peinliche Sprüche wie »klein, aber oho«.
Gewünschtes Spektrum an Alter und Größe des Partners nennen, wenn es Ihnen wichtig ist (üblich, wenn große Frauen noch größere Männer suchen oder man deutlich ältere oder jüngere Partner wünscht).

## Figur/Statur

Die Figur ergibt sich aus Körpergröße und Körpergewicht. Leider fehlt (vor allem bei Frauen) oft die Gewichtsangabe.

Es gibt vier wichtige Arten von »Figurproblemen«: 1. falsche Einschätzung der eigenen Figur; 2. (nur bei Frauen) kräftiger Körperbau, aber kein Fett; 3. (vorwiegend bei Männern) zu schmächtig; 4. Fettpolster.

**Konfektionsgröße 38/40** ⇨ nur Frauen nennen ihre Konfektionsgröße. Bei 170 cm Körpergröße gilt: Konfektionsgröße 34 – 36 ⇨ sehr schlank; 36/38 ⇨ eindeutig schlank; 38 ⇨ schlank; 38/40 ⇨ gerade noch schlank mit kräftigerem Bau; 40 ⇨ kräftiger (ohne Fett nur bei kräftigem Körperbau); ab 42 ⇨ mindestens sehr kräftig, meist mollig. Ist eine Frau 10 cm kleiner oder größer, verschiebt sich das Verhältnis von Figur und Konfektionsgröße: Bei 160 cm ist eine 38 gerade noch schlank, geht aber tendenziell in Richtung kräftig oder »Pölsterchen«; bei 180 cm paßt in Größe 38 nur eine ganz eindeutig schlanke Frau. Übrigens: Um den Damen zu schmeicheln, nähen manche Hersteller ihrer Kleidung Schilder mit unrealistisch kleinen Größenangaben ein – man sagt: »Die 38 fällt groß aus.«

**Männer-Größen:** 46 ⇨ kleinere, meist dünne Männer; 48 ⇨ eindeutig schlank; 50 ⇨ normale Größe; 52 ⇨ entweder schlank und breitschultrig/sportlich (dann Hosengröße 48 – 50, Sakko 52) oder Sakko und Hose 52 ⇨ Bauch.

Die meisten Männer kennen ihre Konfektionsgröße nicht[1].

**dünn** ⇨ negativer Ausdruck für »sehr schlank«. Wird gern trotzig von Frauen mit sehr kleiner Oberweite benutzt.

**zierlich** ⇨ (Frauen) feiner Knochenbau, fast immer klein. Zierliche Männer bezeichnen sich als »jungenhaft« (und meinen mitunter schmächtig).

**sehr schlank** ⇨ bei Frauen: Konfektionsgröße bis 36/38, oft wenig Oberweite (bei gleicher Körpergröße und gleichem Gewicht bezeichnen sich Frauen mit nicht ausgesprochen kleinem Busen erfahrungsgemäß nur als »schlank«).
Bei Männern: dürr, hager, schlaksig.

**Leichtgewicht** ⇨ (sehr) schlank, meist auch klein.

**schlank** ⇨ häufigste (und oft mißbrauchte) Formulierung. Wer Wert auf Schlankheit legt, sollte telefonisch nachhaken. Telefonische Erläuterungen wie »Ich finde mich nicht zu dick« oder »richtig verteilt« bedeuten immer, daß man in den Augen der anderen nicht schlank ist.

**fast schlank** ⇨ erträglicher Hinweis auf Abweichung vom Ideal.

**kräftig/stark gebaut** ⇨ häufigste Figur, aber sehr seltenes Wort, weil negativ besetzt. »Kräftige« Frauen oder Männer sind entweder dick oder von

---

[1] Vielen Dank für diese detaillierten Informationen an Sabine Kadgien, "Secondo", Berlin

grober Statur. Männer versuchen mit »kräftig« den Eindruck von »sportlich« oder »athletisch« zu erzielen, obwohl sie einen Bauch haben.

**nicht zu dünn, nicht zu dick** ⇨ umständlicher Ausdruck für Tendenz »kräftig«, aber man ist zufrieden mit sich.

**nicht dick** ⇨ es gibt immer noch Dickere. Nachfrage erforderlich.

**nicht übergewichtig** ⇨ doch, immer übergewichtig! Hat aber eine private Mathematik erfunden, um das eigene »Idealgewicht« auf 2 kg unter dem aktuellen Übergewicht liegend zu errechnen.

**gut verteilt** ⇨ im besten Falle größere Oberweite und Taille vorhanden, meist aber nur »Entschuldigung« für kräftig oder mollig.

**weiblich/runde Formen** ⇨ mindestens breite Hüften oder großer Busen, fast immer auch mollig.

**vollschlank** ⇨ Bekenntnis zu (meist sogar deutlichem) Übergewicht. Nicht mehr nur »kräftiger Körperbau«, sondern eindeutig korpulent.

**Rubensfigur** ⇨ Bekenntnis zum deutlichen Übergewicht.

**mollig** ⇨ Bekenntnis zum Übergewicht.

**stark gebaut** ⇨ siehe unter »kräftig«

**ansehnlich** ⇨ kräftig und/oder dick.

**jungenhaft, knabenhaft** ⇨ zierliche Männer und zierliche, (gleichzeitig oft burschikose) Frauen mit kleinen Brüsten.

**sportlich** ⇨ bei Männern der athletische Typ – muskulös, breit, kräftig, eher schlank. Bei Frauen schlanker, straffer Körper und/oder sportlich wirkende Kleidung.

**sehr sportlich/athletisch** ⇨ muskulös, aktiver Sportler. Mitunter auch Anspielung auf großes Stehvermögen im Bett.

**maskulin** ⇨ muskulös, athletisch, oft behaart, häufig auch Macho. Frage nach Bart, Goldkettchen, Tätowierungen und Lederjacke ist anzuraten.

**athletisch** ⇨ siehe »sehr sportlich«.

## Problematische Formulierungen:

**gute Figur** ⇨ erhöht im Inserat einer Frau den Rücklauf erheblich, wirkt aber schnell billig und zu körperorientiert. Bei Männern stellt man sich den Angeber vor.

**großer Busen/gut bestückt** ⇨ zu sexorientiert, wirkt primitiv.

## Tips für Inserenten:

Lügen Sie nicht hinsichtlich Ihrer Figur. Benutzen Sie aber auch keine Negativ-Vokabeln wie »fett, mager, dick, dürr«.

Wenn Sie Ihre Figur nicht erwähnen, wird man Sie beim ersten Telefonat danach fragen.

Wer einen kräftigen Körperbau hat, aber kein bißchen fett ist, sagt z.B.: »kein Fett, aber nicht zierlich/aber kräftiger als Cindy Crawford«.

Wenn es positive Details Ihrer Figur gibt, nennen Sie diese: »mit schmaler Taille«, »langbeinig«, »mit schönen Händen«, »mit weicher Haut« etc.
Männer interessieren sich sehr viel stärker für die Figur von Frauen als umgekehrt. Frauen finden es sympathisch, wenn man keine bestimmte Figur verlangt.
Formulieren Sie Ihre Präferenzen sehr vorsichtig, nie fordernd, sondern eher als Entschuldigung (besonders, wenn sie dem aktuellen Schönheitsideal entsprechen: »meine sehr schlanken Ex-Freundinnen haben meinen Geschmack verdorben«. Oder: »Alle sehen nur deine Figur, ich sehe auch…« Oder: »Suche F, der man wegen ihrer Figur unterstellen würde, sie sei wählerisch und zickig«. Meist reicht: »Suche schlank«. »Sehr schlank« verschreckt viele Frauen.
Schreibt ein Mann nicht über die gewünschte Figur, melden sich viel mehr Frauen – allerdings überproportional viele Überproportionierte, die es »sympathisch finden, daß du nicht gleich anfängst mit Äußerlichkeiten«.
Wenn Männer einen bestimmten Figur-Typ definitiv ablehnen, sollten sie das vorsichtig formulieren: »Bette Middler ist toll, aber nicht mein Typ«.
Frauen dürfen eindeutigere Wünsche äußern, ohne unsympathisch gefunden zu werden: »sollte nach Sport aussehen«, »der eher männliche Typ«, »bitte kein Hering«. Antwortende Männer tendieren allerdings noch mehr als Frauen dazu, die genannten Anforderungen zu ignorieren. Also in jedem Falle: Rückfrage!
Sollten Sie bestimmte Abweichungen von der Idealfigur mögen, erhöht dies den Rücklauf: »Ich mag gern runde Formen.«
Vermeiden Sie das Wort »egal« (»Gewicht egal«), weil es Sie wahllos erscheinen läßt.


## Der Kopf

**kurze, mittelblonde Locken** ⇨ gute Beschreibung. Die Haarlänge der Frau ist für viele Männer sehr wichtig. Bei den Männern sollten nur die Langhaarigen über ihre Haarlänge reden. Übrigens: niemand hat je eine gut aussehende dunkelblonde Frau getroffen, die sich am Telefon als »straßenköterblond« bezeichnet hatte.
**große graublaue Augen** ⇨ gute Beschreibung. Augen (bzw. der Blick) können außer der Farbe noch andere, wissenswerte, Eigenschaften besitzen. Wer allerdings »Rehaugen« sucht, wird kaum wen finden, der sich angesprochen fühlt (außer bei geschickter Formulierung: »Du haßt das Wort ›Rehaugen‹ – ich denke mir ein schöneres für dich aus.«).
**Brille** ⇨ erwähnen nur Inserenten, die sie ständig tragen müssen.

**Lachfalten** ⇨ häufige, aber auch abgegriffene Formulierung für »optimistisch und nicht mehr ganz taufrisch«.
**Charakterkopf/interessanter/s Kopf/Gesicht/Aussehen** ⇨ (meist) Männer oder Frauen, die nicht eigentlich schön sind, aber ungewöhnlich und faszinierend aussehen. Zumindest Hinweis auf besonderes Selbstbewußtsein.

### Tips für Inserenten

Gesichtsform und Gesamteindruck formuliert man z.B. so: »kantig«, »herb«, »weiche/feine/aristokratische Züge«, »erwachsenes/rundes Gesicht«, »klassisches Profil«.
In der Selbstdarstellung dürfen Sie die attraktivsten Merkmale Ihres Gesichtes nennen: »sinnlicher Mund«, »Sommersprossen«, »klassische Nase«, »Grübchen« oder (selbstsicher und selbstironisch) »mit echtem Zahnpastalächeln«.
Verzichten Sie darauf, in der Annonce Ihre optischen Nachteile aufzulisten – aber lügen Sie nicht beim ersten Telefonat.
Nennen Sie bei der Beschreibung Ihres Wunschpartners alle (nicht allgemein gewünschten) Äußerlichkeiten, die Sie favorisieren: »mit Hakennase«, »mit Pferdeschwanz«, »mit ausgeprägtem Hinterkopf«, »mit verrückter Frisur«, »mit schmalem Hals« etc. oder nur ein isoliertes Detail, das dem Schönheitsideal entspricht: »mit großen Augen«, »mit aufgeworfenen Lippen«.
Frauen können ohne Nachteile äußerlichen Merkmale aufführen, die sie kategorisch ablehnen: »Ohne Bart/Glatze/Bauch«, »kein Brillenträger«, »ohne Hautprobleme« etc. – Männer würden sich mit derartigen Wünschen den Vorwurf des Sexismus einfangen.
Je konkreter Sie Ihren Wunschpartner beschreiben, desto eher wird sich jemand gemeint fühlen, auf den die Beschreibung zutrifft.


# Typ

Viele Inserenten beschreiben sich als einen bestimmten Typ. Das kann sich auf das Aussehen oder das »Wesen« beziehen – was in der Annonce klar werden sollte: »Typ wilder Mann« sollte nicht aussehen wie Woody Allen (auch wenn er sich wüst aufführt), »Typ Woody Allen« sollte nicht bedächtig und wortkarg sein.
Fragen Sie herum, welchen Prominenten Sie etwas ähneln. Eine Freundin von mir sieht aus wie eine »Mischung aus Bonnie Tyler und Lady Di«, und in meinem Fall hat man Pierre Littbarski, Mikhail Baryshnikov, Marius Müller-Westernhagen und Mickey Rourke gekreuzt.
Sehr gut lassen sich Menschentypen mit Schlagworten umschreiben.

Als Anregung ein paar Typ-Beschreibungen für Frauen:
**Erbsenprinzessin:** Empfindlich, verlangt Rücksichtnahme, macht nicht alles mit, schmollt häufiger.
**Raubkatze:** Selbstbewußt, kann gefährlich werden, entscheidet sich schnell und sucht den selbstsicheren, starken Männertyp.
**Schmusekatze:** Kuschelt gern, verzichtet auf dauernde Sensationen, sucht Wir-Gefühl, wird oft unterschätzt.
**Dame:** Umgangsformen, etwas Distanz, vernünftig, erwachsen, wird langsamer warm.
**Kumpel:** Macht (fast) alles mit.
**Stilles Wasser:** Braucht Anstöße von außen, harmoniebedürftig, evtl. versteckte Leidenschaften.
**Powerfrau:** Energie, Arbeit, Erfolg, aber auch Streß, Zeitmangel, Überlastung.
**Mädchen:** Vorsichtig, etwas unsicher, aber offen für neue Erfahrungen.
**Männer könnten sein:** Motorrad-Typ, Jeans-Typ, der väterliche Typ, Abenteurer, großer Junge, Latin Lover, Frechdachs etc.
Derartige Schlagworte sollten mit mindestens einem gegenläufigen Attribut gebrochen werden: die »zuverlässige Erbsenprinzessin«, der »Motorrad-Typ und Mozart-Fan«, die »Dame, die gern kichert«.
Vermeiden Sie klischeehafte Bilder wie: »Löwin sucht Löwenbändiger« (selbst wenn es stimmen sollte).
Sagen Sie, was Sie nicht wollen: »schlampig«, »müslimäßig«, »Yuppie«, »halbalternativ«, »szenemäßig«, »schwarz in schwarz«, »Kaufhausgeschmack«, »Vertretertyp«, »Pullover-Typ« etc.
Ebenfalls in die Kategorie »Typ« zählen Eigenschaftswörter, die ein »typisches« Verhalten bezeichnen, z.B. »verspielt«, »verschmust«, »emanzipiert«, »verträumt«, »selbstsicher«, »zurückhaltend«, »unruhig«, »entspannt« , »doppelbödig«, »überdreht« etc.

### Problematische Formulierungen

Frauen reagieren empfindlich auf sexistische Typ-Wünsche wie »richtiges Weib« oder »Heilige und Hure«. Sie lehnen Männer ab, die Namen wie Claudia Schiffer oder Cindy Crawford nennen – Models gelten als Inbegriff von Hülse ohne Personality, als »Plastikfrauen« oder »Barbie-Puppen«.
Frauen, die sich als »sexy« etc. bezeichnen, bekommen viele Antworten – werden aber als niveaulos bis billig gesehen.

### Tips für Inserenten:

Sie sollten sich sehr genau überlegen, als welchen Typ Sie sich darstellen und wie Sie Ihre Wunschtypen beschreiben. Mißverständnisse sind häufig.

# Kleidung und Erscheinung

**gepflegt** ⇨ achtet auf das Äußere. Sauberkeit, Frisur, Duft, korrekt gekleidet. Leider spießiger Beigeschmack, auch wenn es nicht so gemeint ist.

**modebewußt/modisch/schick** ⇨ achtet auf schicke Kleidung, unklar aber bleibt, welcher Stil bevorzugt wird. Vorsicht: kann leicht als modehörig mißverstanden werden.

**gestylt** ⇨ kann schick, kann aber auch geschmacklos aufgedonnert meinen, und sagt nichts über die geschmackliche Richtung. Will sich abheben.

**geschmackvoll/mit Geschmack** ⇨ spießiger Ausdruck für »schick«.

**mit eigenem Stil** ⇨ auffällig »gestylt«, eigenwillig bis unmöglich. Hält sich für besonders individuell (und ist »szenemäßig«). Evtl. auch müsli-anti-modisch.

**elegant** ⇨ meint oft »modebewußt«, manchmal »damenhaft«.

**damenhaft/klassisch** ⇨ zeitlose Eleganz, Richtung Jil Sander.

**dezent (gekleidet)** ⇨ bei Männern und Frauen konservativer Schick, gepflegt. Typ Kongreßteilnehmer oder Messe-Hostess.

**sportlich/leger** ⇨ praktische, bequeme Kleidung (Jeans, Poloshirt), nicht »gestylt«. Esprit, Benetton etc.

**natürlich** ⇨ ohne entwickelten Geschmack. Legt wenig Wert auf Erscheinung und Wirkung. Modefeindlich. Unscheinbar. Kein Make-up, guter Geschmack unwahrscheinlich.

**Mal Jeans, mal Abendkleid** ⇨ besitzt aber kein Abendkleid und trägt in der Freizeit an neun von zehn Tagen Jeans.

**Jeanstyp** ⇨ konventioneller, rein praktischer Geschmack.

**Ledertyp** ⇨ (fast nur in der Homoszene) Mann, der gerne Ledersachen trägt.

**Problematische Formulierungen:**
Wenn Männer sich von Frauen »figurbetonte« Kleidung, »Dessous« oder gar »Strapse« wünschen, schlägt ihnen breite Ablehnung entgegen. Der Wunsch nach einer Frau, die »auch mal Mini/Rock/Wäsche/hohe Schuhe etc. trägt«, klingt zudem frustriert.

**Tips für Inserenten:**
Frauen erhöhen ihren Rücklauf, wenn sie erwähnen, daß sie oft Röcke oder Kleider tragen. »Trage auch gern mal Mini« begeistert fast alle Männer, wirkt aber etwas unkultiviert.
Männer sind automatisch gepflegt und modebewußt, wenn sie ihr Eau de Toilette angeben: »Duft ›Anthaeus‹ von Chanel«.
Nennen Sie Designer- oder Markennamen, um Ihren Stil zu umreißen: »Trage lieber Gaultier als Boss«, »Richtung Jil Sander«, »Faible für verrückte

Sixtiesklamotten«. Statt »schick« können Sie sagen: »mit gut sortiertem Kleiderschrank/mit Garderobe«.
Frauen suchen schicke Männer so: »Suche Mann ab vier Paar guter Schuhe«.

## »Schönheit« und Attraktivität

Die Formulierungen zum Thema »Schönheit« sind fast immer Reklame statt Information. Sie sagen weniger über das tatsächliche Aussehen der Inserenten aus als über ihre Einstellung zur eigenen Attraktivität.

Untersuchungen belegen, daß Männer ihre Schönheit überschätzen, während Frauen sich bescheidener bewerten, als sie von Männern tatsächlich gesehen werden.

**schön** ⇨ sehr oft muß man »schön« übersetzen mit »Aussehen knapp unter Durchschnitt, Einbildung gut ausgeprägt.« Dies gilt besonders häufig für Männer. Der Wunsch nach »Schönheit« schreckt ab. Der »schöne« Mann wirkt lächerlich.

**hübsch** ⇨ wie »schön«, aber etwas weniger gewagt und peinlich. Meist höchstens hübscher als viele, die diese Person kennt.

**gutaussehend** ⇨ im positiven Fall deutet dieses Wort auf eine gewisse Bescheidenheit hin. Leider kann es auch bedeuten, daß eine unattraktiv aussehende Person in gerade noch verzeihlicher Art übertreibt.

**attraktiv** ⇨ man meint, dieses Mindesterfordernis bei seiner Selbstbeschreibung oder seinen Wünschen nochmals erwähnen zu müssen.

**vorzeigbar/attraktives Äußeres** ⇨ im Prinzip wie »gutaussehend«, aber distanzierter fomuliert, weil: »Obwohl ich gutaussehend bin, will ich nach meinen inneren Werten beurteilt werden.« Kann auch heißen: »Habe schon einmal in meinem Leben Komplimente bekommen.«

**mit anzeigenüblichen Attributen** ⇨ unsympathische Formulierung für »attraktiv«.

**sehr/wirklich/ungewöhnlich hübsch** ⇨ wer das Selbstlob derartig steigert, annonciert nicht das erste Mal. Man fand die bisherigen Reaktionen und Blind Dates der eigenen Schönheit nicht angemessen.

**nicht gerade häßlich/keine Schönheit/weder hübsch noch häßlich** ⇨ diese Warnung sollte immer ernst genommen werden, weil sie auf geringe Attraktivität und mangelndes Selbstbewußtsein hindeutet, mindestens aber sagt: »Ich mache nichts aus meinem Typ«.

**kein Adonis** ⇨ unattraktiver Mann.

**interessantes Aussehen:** macht neugierig. Charakterkopf, Geschmackssache, aber Verdacht auf wenig attraktives Aussehen.

### Tips für Inserenten:
Die eigene oder die gewünschte Schönheit sind zwei heikle Themen: Be-

32

scheidenheit bei der Selbstdarstellung klingt unbeholfen (»Man sagt, ich sei…«), glasharte Formulierungen klingen angeberisch (»Schöner Mann«), vorsichtige Ausdrücke (»akzeptables Aussehen«) schüren den Verdacht, optisch weit unter dem Durchschnitt der anderen – Angeber – zu liegen.

Legen Sie die Latte bei Ihren Anforderungen zu hoch, fühlen sich Ihre Leser eingeschüchtert (Männer weniger als Frauen).

Vorschlag: »(Gutes) Aussehen telefonisch«.

Wer über die eigene Attraktivität schreiben will, sollte sich um einigermaßen intelligente Umschreibungen bemühen: »Frau, die (zu) häufig angesprochen wird, um den Richtigen frei zu erscheinen«, »Mann, der heimliche Blicke bemerkt«, »Bringe die meisten Männer ins Stottern«, »Mann, der es oft leicht hätte«, »suche Frau, die von Frauen beneidet wird«, »suche Frau, die fast jeden haben könnte und deswegen keinen hat« etc.

Vermeiden Sie verbrauchte Phrasen wie »eigentlich habe ich Annoncen nicht nötig…«, »meine Freunde wundern sich, daß ich noch Single bin…«, »ich ziehe überall bewundernde Blicke auf mich« usw.

Reklame-Klischees werden durch Brechung sympathisch: »hübsch, aber bescheiden«, »18 % weniger attraktiv als Tom Cruise«, »bin hübscher, als ich zugeben/behaupten darf«.

Besser als generelle Schönheit wirkt der Hinweis auf Details wie »hübsche Augen, hübscher Mund«.

Leser sollten sich nicht von hohen Anforderungen an das Aussehen abschrecken lassen. Schicken Sie ein paar Fotos von sich, und dazu einen kurzen Text: »Sehe ich sympathisch genug aus, um Dich (trotz Deiner hohen Ansprüche) zu interessieren? Wäre toll, denn eigentlich bin ich genau richtig, weil ich…« – und dann gehen Sie kurz auf die in der Annonce genannten Wünsche ein, die Sie erfüllen könnten.

## Beruf, Einkommen und soziale Stellung

**beruflich engagiert** ⇨ viel Streß, wenig Freizeit, oft Workaholic, Überstunden (freie Berufe, gehobene Positionen). Meist gutes Einkommen und Spaß an der Arbeit.

**erfolgreich** ⇨ sollte ein vernünftiges Einkommen haben.

**arriviert/etabliert** ⇨ erfolgreich, (beruflich) zufrieden, etwas älter.

**Karrierefrau** ⇨ starke Frau mit beruflichem Erfolg.

**eigenes Einkommen** ⇨ (meist Frau) will nicht ausgehalten werden. Wünscht getrennte Kasse, oft negative Erfahrung mit einkommensschwächeren Partnern oder gönnerhaften »Geld-Machos«.

**Krankenschwester/Bauzeichner** ⇨ Wer einen »normalen« Beruf nennt, hat begriffen, wie wichtig der Beruf eines Menschen ist – vor allem, wenn er

Spaß an ihm hat. Vorbildlich informativ.

**Student** ⇨ vielleicht viel, vielleicht keine Freizeit. Noch nicht desillusioniert, bleibt evtl. nicht lange in der Stadt.

**stud.** ⇨ »Student« oder »studiert«, also Ex-Student.

**Akademiker** ⇨ hat mal studiert, Tendenz gehobener Beruf. Mitunter aber auch Taxifahrer. Lehrer bezeichnen sich nie als Lehrer, sondern immer als »Akademiker«. Beschreibt sich eine niedergelassene Ärztin als »Akademiker«, obwohl »Ärztin« werbewirksamer wäre, geht es ihr mehr um das intellektuelle als das wirtschaftliche Niveau.

**Freiberufler** ⇨ Arzt, Anwalt, Steuerberater, Werber, Steuerberater, Versicherungsagent, Makler, Schauspieler – so breit ist die Palette. Allen gemeinsam ist der Zeitmangel.

**selbständig** ⇨ könnte eine Fabrik oder einen Flohmarktstand besitzen oder als Pommesbudenbesitzer stolz auf seine Metro-Karte sein.

**gutsituiert/nicht unvermögend** ⇨ spießiger Begriff für mindestens Eigentumswohnung, Neuwagen, schuldenfrei plus mehr als 4.000 Mark netto Monatseinkommen.

**auf gehobenem Niveau** ⇨ vieldeutig, manchmal aber auch aufs Einkommen bezogen.

**Künstler/Musiker** ⇨ fast immer unprofessionell, brotlos oder verhaltensgestört – also Angeber. Frage nach dem Broterwerb unerläßlich.

**Lebenskünstler** ⇨ Gelegenheitsarbeiter, Arbeitsloser, Taxifahrer etc. Wenig Arbeit, wenig Geld, keine Zukunft, viel Freizeit.

## Problematische Formulierungen:

**mit Geld** ⇨ wer es anbietet, ist ein Angeber, wer es verlangt, ist geschmacklos und berechnend.

**mit Auto** ⇨ kleinbürgerliches Statussymbol. Wer soll hier beeindruckt werden? Auch die »eigene Wohnung« sollte man nicht erwähnen. Das »eigene Haus mit Garten« wirkt nur auf biedere Leute anziehend.

**Cabriofahrer** ⇨ einerseits peinlich, andererseits – man wird angerufen.

**großzügig/spendabel** ⇨ in der Nähe von Käuflichkeit, Prostitution und »hat es nötig«.

**suche Millionär** ⇨ aber der Millionär will keinen weiblichen Habenichts.

**suche Mäzen/Sugardaddy** ⇨ klingt zu prostituiert.

## Tips für Inserenten

Durchschnittliche Berufe werden leider viel zu selten genannt.
Wenn Sie Ihren Beruf nicht nennen wollen, dann umschreiben Sie ihn: »Kreativer«, »mit interessantem Beruf«, »öffentlicher Dienst« etc.
»Was Besseres? Ich auch.« – Diese Anzeige war sehr erfolgreich.

Wenn Sie bestimmte Berufsgruppen, Branchen oder Studienfächer bevorzugen, sollten Sie das schreiben. »Suche Ärztin mit Spaß an Windsurfen und Richard Wagner.«

Legen Sie Wert auf eine bestimmte Einkommensklasse? Das muß ganz (!) vorsichtig formuliert werden: »Suche einkommenssteuerpflichtige Bekanntschaft«, »Suche Mann, der seine Wohnung nie selbst renoviert«.

## Intelligenz, Bildung und Niveau

Häufig irren sich die Inserenten bei der Bezeichnung ihrer Geistesleistungen. Präzise wirkende Begriffe wie »klug« oder »gebildet« werden nicht immer nach Duden verwendet.

Beruf und vor allem Interessen/Hobbys weisen auf die intellektuellen Strukturen eines Inserenten hin. Der Wunsch nach besonders intelligenten Partnern ist der sicherste Beleg für die eigene Intelligenz.

**intelligent** ⇨ unbrauchbarer Ausdruck. Meint oft: »Ich kann lesen und schreiben, auch wenn ich es nicht tue.« Oder: »Ich kenne Leute, die sind dümmer als ich.« Besser wäre ein Ausdruck, der die Richtung der Intelligenz erkennen läßt: »vernünftig«, »ausgeschlafen« etc.

**nicht unintelligent** ⇨ wie »intelligent«, aber verklemmt.

**überdurchschnittlich intelligent** ⇨ kann ja sein, wirkt aber wie »Angeber«, »Besserwisser« oder »Fachidiot«.

**klug/gescheit** ⇨ die Intelligenz hat zu Resultaten geführt. Meist entweder pfiffig oder hochnäsig.

**intellektuell** ⇨ Freude an der (akademisch ernsten) Beschäftigung mit beliebigen Themen, Spaß an der Abstraktion, eine gewisse Bildung. Mindestens SPIEGEL-Leser.

**gebildet/belesen** ⇨ klassischer Leser. Neigung zum Zitieren und Dozieren. Interesse an gehobener Kultur (Theater, klassische Musik, Ausstellungen, cineastische Filme).

**kulturinteressiert** ⇨ besucht (ernste) Kulturveranstaltungen (und meist in zweiter Linie Pop, Massenkultur, Triviales).

**studiert/akad.** ⇨ hat mal studiert (oder tut es noch).

**kultiviert** ⇨ zur Mindestbildung kommt der gehobene Lebensstil des Kenners: Umgangsformen, Sammeln, Feinschmeckerei etc.

**kein Bild-Leser** ⇨ meint Niveau Stern-Leser, aber unter SPIEGEL-Leser.

**lese gern** ⇨ kann auch das Verschlingen von Fantasy-Romanen meinen.

**vielseitig interessiert:** breit gestreute Bereitschaft, sich anstecken zu lassen. Vielfach passive Haltung und kaum Vorwissen oder Beschränkung auf leicht zugängliche Massenkultur/Pop/Unterhaltung.

## Tips für Inserenten

Wie schon bei »Schönheit/Attraktivität« muß man auch hier sehr vorsichtig sein – selbst präzise Begriffe gelten als Angeberei bzw. überzogene Ansprüche.

Am besten beschreibt man das eigene Niveau durch Namedropping: Wenn jemand Kokoschka, Cezanne, Monet und Braque liebt, unterscheidet sich seine Persönlichkeit deutlich von einem, der Lichtenstein, Twombly und Salle mag.

Umreißen Sie Ihren Kulturgeschmack durch Nennung von Extremen: »ich liebe Wim Wenders und Eddy Murphy«, oder z.B. »Renaissance-Architektur und Tekkno«.

Definieren Sie das gewünschte Niveau durch die Zeitschriften oder Zeitungen, die Sie lesen: »SPIEGEL-Leserin« sucht »mindestens Stern-Leser«.

Wenn Sie einen bestimmten intellektuellen Mindeststandard wünschen, sollten Sie das schreiben, sonst bekommen Sie überwiegend Reaktionen von LeserInnen ohne Abitur.

## Persönlichkeit und Charakter

Gern listen Inserenten eine Vielzahl von Eigenschaften auf, die sie zu haben meinen oder sich am künftigen Partner wünschen. Auch wenn sie schwerfällig klingt, so enthält diese Aufzählung doch viele, wertvolle Informationen.

Nur einige der unendlich vielen möglichen Begriffe müssen erklärt werden:

**spontan** ⇨ stolz auf eigene Launen, von denen die anderen »spontan« begeistert zu sein haben. Eines der am häufigsten falsch verstandenen Mode(Eigenschafts)Wörter.

**lebenserfahren** ⇨ will besonders erwachsen wirken.

**selbsterfahren/therapieerfahren** ⇨ hat schon mal einschlägige »Gruppen« oder Einzelsitzungen mitgemacht. Psychologische Interessen, meist Psycho-Jargon, oft New Age.

**bindungsfähig** ⇨ man will endlich mal jemanden, der sich keine Hintertür offenhalten will – oder die versprochene Scheidung endlos verschiebt.

**beziehungsgeschädigt** ⇨ der letzte (frische) Reinfall soll trotzig und bitter ironisiert werden.

## Tips für Inserenten

Zählen Sie Ihre markantesten Eigenschaften, Tugenden und auch eine oder zwei Schwächen auf.

Kombinieren Sie scheinbar widersprüchliche Aspekte Ihrer Persönlichkeit: »Kühle Romantikerin mit Launen, aber Gerechtigkeitssinn«. Bitte vermeiden Sie aber den guten alten »realistischen Träumer« und Wischi-Waschi-

Texte wie »mit Schwächen und Stärken« oder »nicht ganz perfekt«. Diese hohlen Phrasen schaden Ihnen nur.

## Die eigenen Probleme

frustriert/enttäuscht/allein/verletzt/einsam ⇨ wer will sich dieser bedauerlichen Personen annehmen? Niemand, der nicht selbst ein erhebliches Problem hat.
**Tips für Inserenten**
Für Probleme ist noch am Telefon Zeit.

## Einstellungen

**emanzipiert** ⇨ mißverständlich, weil extrem unterschiedliche Definitionen kursieren und Männer sich meist die aggressive, unattraktive Klischee-«Emanze» vorstellen. Als »emanzipiert« bezeichnen sich Frauen, die sich nicht vorstellen können, wie leicht man diesen Ausdruck mißverstehen kann, oder solche, die tatsächlich fast alles ablehnen, was die meisten Männer an Frauen verführerisch finden.
**ehrgeizig/mit Zielen** ⇨ will etwas erreichen, beruflich erfolgreich sein, Geld verdienen.
**idealistisch** ⇨ Geld und »Äußerlichkeiten« zählen nicht. Liebe zu Andersdenkenden wird zwar aus ideologischen Gründen immer wieder beteuert, aber nur selten »gelebt«. Meist soziale/sozialromantische Einstellung und modefeindlich, links oder religiös. Oft lästige Tendenz zu Belehrung und Missionierung.
**politisch interessiert** ⇨ Politik ist wichtiges Gesprächsthema.
**politisch engagiert** ⇨ aktive Parteiarbeit, Bürgerinitiativen etc.
**New Age/spirituelle/esoterische Interessen** ⇨ schwer zu ertragen für Leute, die diesen Hang zu Selbsterfahrung, Astrologie und diversen Therapien nicht teilen. Man muß mit Psycho-Jargon rechnen.
**Fisch, Aszendent Steinbock** ⇨ glaubt an Astrologie, Schicksal, Vorbestimmung und ist begeistert von Kandidaten mit günstigem Geburtsdatum.
**katholisch** ⇨ praktiziert seine Religion.
**modern** ⇨ »modern im Vergleich zu anderen Menschen, die mir ähnlich sind«. So bezeichnen sich bürgerliche Personen, die nicht spießig sind.
**aufgeschlossen/offen für alles (Neue)** ⇨ abgeschwächte Version von »modern« mit reaktiv-passiver Tendenz.
**kosmopolitisch** ⇨ spießiger Begriff für weltoffene, liberale Haltung. Nur in überregionalen »Bekanntschafts-/Heiratsanzeigen«.

**etwas altmodisch** ⇨ konservative Wertvorstellungen.
**unkonventionell** ⇨ gemessen an Arbeitskollegen und Verwandtschaft?
Oder gemessen an »den Doofen« – wer auch immer das jeweils ist?
**normal** ⇨ eher bürgerlich, ganz sicher aber unfähig, sich vorzustellen, wie
unterschiedlich, vielfältig und spezialisiert sogar innerhalb des bürgerliche-
ren Lagers die einzelnen Gruppierungen beschaffen sind – die sich übrigens
alle als »normal« und jede Person jenseits der eigenen Schublade als »irgendwie nicht normal« bezeichnen würden. »Normal« = angepaßt.
**niveauvoll** ⇨ spießige Worthülse, die nur sagt, daß man jemanden kennt,
den man niveaulos findet.


## Interessen und gewünschte Aktivitäten

Viele Inserenten verbringen den Großteil ihrer Zeit vor dem eigenen Fernse-
her oder sitzen mit zwei, drei Bekannten in Kneipen herum. In ihren An-
noncen aber wirken sie wesentlich aktiver und »vielfältig interessiert«. Sie
bilden sich ein, sie würden gern demnächst mit Aktivitäten beginnen, und
bräuchten nur einen Partner, der sie antreibt.
**Reisen, Kino, Faulenzen** ⇨ herkömmliche Auflistung ohne besondere Aus-
sagekraft.
**Kino** ⇨ Cineast oder Bruce-Willis-Fan? Wim Wenders oder Hollywood?
**Theater** ⇨ Musical oder Sprechbühne?
**Konzert** ⇨ Heavy Metall, Philharmonie, Neue Musik, Klaus und Klaus,
Jazz?
**Tanzen** ⇨ meist Disko der einen oder anderen Art, erst ab 45 auch Gesell-
schaftstänze. Leider wird bevorzugter Musikstil selten genannt.
**für gute/intensive Gespräche** ⇨ alternatives Milieu.
**zum Reden, Zuhören, Lachen, Weinen, zum gemeinsam Träumen etc.**
⇨ Kitsch aus der alternativen/New Age-Ecke
**vielseitige Interessen** ⇨ sagt nichts über die Art, die Bedeutung und das
Niveau dieser Interessen aus.
**vielseitig** ⇨ eher passiv interessiert.
**häuslich** ⇨ Bekenntnis zu Nest und (meist) Fernsehen.


**Tips für Inserenten**
Wenn Sie ein Hobby haben, nennen Sie es. Das Wort »Hobby« wirkt immer
etwas hausbacken, wenn auch folgende Formulierung eines Mannes sehr erfolgreich war: »Hobbys: Küssen und Telefonieren«.
Beschreiben Sie Ihre bevorzugten (und damit zeitlich wichtigsten!) Freizeit-
beschäftigungen möglichst präzise – statt »Sport« die Sportart nennen.
Sollten Sie bestimmte gemeinsame Aktivitäten vorhaben, führen Sie sie nur

an, wenn sie Ihnen überdurchschnittlich wichtig sind: »Möchte (wieder) mit Reiten anfangen«.

Verzichten Sie auf die Auflistung gemeinsamer Alltags-Aktivitäten. »Gemeinsames Essen, Schlafen, Verreisen, Träumen, Reden« etc. gehören zu jeder Beziehung.

## Humor und Unterhaltsamkeit

**humorvoll** ⇨ stimmt meist nicht oder nur in Gesellschaft guter Freunde. Wird ständig verlangt oder versprochen, aber nur selten klappt es. Viele Menschen glauben (fälschlicherweise), man habe Humor, wenn man nur auf gleicher Wellenlänge ist.

**witzig** ⇨ humorvoll oder unkonventionell in den Augen von Leuten, die keine »witzige« Sonnenbrille besitzen?

**amüsant** ⇨ guter Unterhalter. Keine Stimmungskanone, sondern netter Plauderer.

**unterhaltsam** ⇨ redet gern.

**charmant** ⇨ (das sagen nur Männer von sich!) macht gern Komplimente, gibt Bestätigung.

**zynisch/sarkastisch** ⇨ beißender Humor und Spott. Die meisten Menschen haben Angst vor dieser Sorte.

**trockener Humor/schlagfertig** ⇨ nur sehr Selbstbewußte trauen sich zu antworten.

### Tips für Inserenten
Wenn Sie versprechen können, andere zum Lachen zu bringen, findet man Sie automatisch sehr interessant.

Nennen Sie die Stärken Ihres Gesprächsstiles: Rumalbern, Lästern, Geschichten erzählen, Philosophieren, Diskutieren etc.

Versuchen Sie, Ihre Humorauffassung zu präzisieren.

## Gewünschte Beziehungsform

**feste Beziehung** ⇨ treu, langfristig.

**Gründung einer Familie/spätere Heirat nicht ausgeschlossen** ⇨ konventionelle Einstellung, eher bürgerliches Publikum.

**Aufbau einer liebevollen Beziehung** ⇨ konventionelle Einstellung zur Beziehung, meist eher liberales oder halbalternatives Publikum.

**suche Partner mit Familiensinn** ⇨ die Ehe als Perspektive, oft auch versteckter Hinweis auf bereits vorhandene Kinder.

**gern auch mit Kind** ⇨ akzeptiert fremde Kinder.

**mit Kinderwunsch** ⇨ will innerhalb der nächsten drei Jahre eigene Kinder.

**will sich mal wieder richtig verlieben** ⇨ feste Beziehung mit romantischer Startphase gewünscht. Häufig leicht frustriert und ausgehungert.

**für Neuanfang** ⇨ kürzlich gescheitert, alte Beziehung noch nicht überwunden.

**beziehungsfähig** ⇨ Tendenz feste Beziehung, leicht frustrierter Typ.

**beziehungserfahren** ⇨ anpassungs- und kompromißbereit.

**keine Klette/Partner, der nicht klammert/nicht einengend/Beziehung, die Luft läßt** ⇨ man will keine ganz feste Beziehung. Nicht selten werden getrennte Wohnungen gewünscht.

**fürs Bett** ⇨ Schwerpunkt auf Sex, kein »Zusammensein« oder feste Beziehung angestrebt.

**nicht nur fürs Bett/für das Eine/erotische Stunden** ⇨ mißverständlich! Könnte meinen: Erotik ist das Wichtigste in der angestrebten (»lockeren«?) Beziehung. Oder: frustrierte Frauen (seltener Männer), die sich als Sex-Objekt fühlten, suchen eine Beziehung, in der Erotik eine untergeordnete Rolle spielt (und nun nicht verstehen, daß man ihre Formulierung genau falschrum interpretiert.).

**für ab und zu** ⇨ seltene Treffen, Schwerpunkt erotische Abwechslung – als Seitensprung oder lockere Beziehung (z.B. wegen beruflicher Überlastung).

**Tagesfreizeit** ⇨ Verhältnis (Schwerpunkt Erotik) soll tagsüber stattfinden. Inserent ist meist gebunden.

**kein Pascha** ⇨ sondern fairer Mann, der sich an Hausarbeiten beteiligt und nicht allein für zwei entscheiden will.

**partnerschaftliches Verhältnis** ⇨ Gleichberechtigung und gleiche Pflichten für beide.

**völlig unabhängig/ohne Anhang** ⇨ freundliche Formulierungen »echter Single ohne Kind«.

**kinderlieb** ⇨ wenn dies gewünscht wird, hat der Inserent (fast immer) ein Kind.

## Tips für Inserenten

Verzichten Sie auf weinerliche Frust-Texte wie »nach Enttäuschung« oder »suche Mann, der endlich mal…«, »suche Frau, die fähig ist, …«

# Normaler Sex

Angebote und Wünsche zu diesem Punkt werden nur in den Hardcore-Rubriken der Stadtmagazine und in Sex-Magazinen präzise formuliert. Ansonsten verzichtet man auf die Einzelheiten der erotischen Phantasien oder Maße.

**100 % Gesundheit/gesund/sauber/getestet** ⇨ ohne Aids (in der Homoszene zusätzlich ohne Herpes etc.). »Sauber« bedeutet aber auch »gepflegt« im optischen Sinne.

**erfahren/sinnlich/nicht verklemmt** ⇨ gute(r) Liebhaber(in), Erotik ist wichtig.

**liebebedürftig/zärtlichkeitsbedürftig** ⇨ Umschreibung für erotischen Schwerpunkt in konservativen Blättern. In Stadtmagazinen hingegen ist die wörtliche Bedeutung gemeint.

**mit Sexappeal** ⇨ gerade noch akzeptabler Begriff für erotische Attraktivität.

**Tips für Inserenten:**
Verzichten Sie bei »normalen« Kontaktanzeigen auf Selbstverständlichkeiten wie »für Tisch und Bett« oder Schwachsinn wie »für alles, was zu zweit Spaß macht«.

Frauen reagieren besonders allergisch auf den ausgesprochenen Wunsch nach Sex. Man sollte als Mann darauf verzichten, sich als Paarungssportler zu profilieren oder von Frauen »Spaß an Wäsche« beziehungsweise in einer noch so intelligenten Umschreibung Geilheit zu verlangen. Sympathisch wirkt der vermeintlich gute Liebhaber, wenn er sagt: »Küsse klasse«, »mit einer gewissen Raffinesse«. Es darf unter keinen Umständen schlüpfrig werden, sonst antworten nur Frauen mit wenig erotischer Ausstrahlung (die anderen haben es nicht nötig!).

Frauen können in ihren Texten überzeugende Lover-Qualitäten verlangen – vor allem, wenn sie ohnehin nur selbstbewußte Männer aufregend finden. Aber Vorsicht: Die meisten Männer fürchten sich vor forschen, dominant wirkenden Frauen, die ihnen zu sexualisiert wirken. Man(n) hat Versagensangst.


# Hardcore-Sex

Folgende Formulierungen finden Sie nur in den entsprechende Rubriken der Stadtmagazine (»Kontakte«, »Harte Welle«, »Sonstiges« etc., teilweise auch unter »Mann sucht Mann«) oder in den Kontaktmagazinen, die man in Sex-Shops kaufen kann.

**ohne lange Anlaufzeit** ⇨ eindeutiges Sex-Interesse, gegenseitige körperliche Anziehung gibt den Ausschlag. Die Entscheidung für oder gegen Sex fällt nach spätestens drei Stunden.

**keine finanz. Interessen** ⇨ keine Prostitution. Steht leider oft auch in den Inseraten von (Freizeit-)Prostituierten. Wenn Frauen ungewöhnlichen und direkten Sex anbieten, wollen sie entweder mit ihren Freundinnen über Stapel männlicher Nacktfotos und brieflicher Fantasien lachen, kommerziellen Sex (bzw. Fotos von angeblich sich) verkaufen, sind unglaublich unattraktiv,

psychisch krank oder – ein sehr kleiner Prozentsatz – mit einer ungewöhnlichen Sexualität ausgestattet. Je kostspieliger eine Anzeige war, desto wahrscheinlicher steckt Prostitution hinter dem Angebot.
Glaubwürdig ist die Formulierung bei Männern und bei Paaren.

**entschieden/streng/mal sanft mal hart** ⇨ S/M

**Anfänger/wer zeigt mir…?** ⇨ unerfahren oder liebt die unterlegene Rolle.

**Erstversuch** ⇨ wie »Anfänger«, aber oft auch Reklamemasche von Prostituierten.

**Safersex** ⇨ Geschlechtsverkehr und Oralsex nur mit Gummi.

**Safe sex** ⇨ meint meist dasselbe wie »Safersex«, manchmal aber auch (Homoszene) nur gegenseitiges Masturbieren.

**Dauerfreundschaft** ⇨ wird immer erwähnt, wenn der restliche Text der Anzeige auf ein oberflächliches Verhältnis deutet.

**anpassungsfähig** ⇨ sucht einen dominanten Partner. Oft Anspielung auf masochistische Neigungen.

**ausdauernde Zärtlichkeit** ⇨ hält lange durch im Bett.

**kein Szenetyp** ⇨ (Homoszene) sieht nicht wie ein typischer Homosexueller aus oder verkehrt nicht in den sexorientierten Homokneipen. Heißt auch: wenig Partnerwechsel.

**Rollenspiele mit Spielzeug** ⇨ S/M – improvisiertes Theater mit Leder, Fesselung etc.

**Piercing** ⇨ Intimschmuck.

**Rasur** ⇨ rasierter Schambereich.

**Poppers** ⇨ (Homoszene) Sex unter Einfluß von Aufputschmitteln.

**zweite Haut** ⇨ Gummi-Fan.

**Spielregeln bei Dreier (WMW), Gruppensex und Partnertausch:** Um zu verhindern, daß sich einzelne Männer einschleichen, wird immer verlangt, daß man vor einer Verabredung mit der/den beteiligten Frau/en telefoniert.

## Prostitution

**Modell/Model/Mannequin/Hostess/Dressman** ⇨ Prostituierte(r).

**nur Hausbesuch** ⇨ arbeitet nicht im Bordell.

# Die häufigsten (dummen) Phrasen

**will mich mal wieder so richtig verlieben** ⇨ wie ungewöhnlich!

**der Platz neben mir ist leer…** ⇨ wie pathetisch!

**für alles, was zu zweit mehr Spaß macht** ⇨ und was ist das?

für dies und das ⇨ genau meine Hobbys!

für gemeinsame Unternehmungen ⇨ und was ist das?

und später vielleicht mehr ⇨ wer hätte das gedacht?

das Leben neu entdecken ⇨ meist zu »guter Musik« an »Kerzenabenden«.

Neuanfang/gemeinsame Zukunft ⇨ spießige Verlegenheitsfloskel.

mit Herz und Verstand zum Liebhaben und Leben ⇨ spießig und einfallslos.

mal himmelhoch jauchzend, mal zu Tode betrübt ⇨ aufgeblasenes Zitat von Unterschichtlern für »launisch« bis »manisch depressiv«.

F mit allen anzeigenüblichen Attributen sucht ebensolchen Mann ⇨ schwache Mischung aus Scheitern vor der Aufgabe des Textens, billiger Ironie und Trotz. »Was soll ich mir Mühe geben? Man glaubt mir ja doch nicht.« Warum nicht? »Weil ich zu fantasielos bin, um aussagekräftige Sätze zu bilden.«

suche auf diesem Wege ⇨ was offensichtlich ist.

(Märchen)Prinz(essin)/Traummann/-frau/-figur ⇨ spießige Klischees, die nicht witzig werden, wenn man »Traumfrau mit Macken« draus macht.

Kennwort 7.Wolke/Carpe Diem/Nur Mut!/Trau dich! ⇨ peinliche und abgedroschene Kennwörter, wo Chiffre gereicht hätte.

Antwortgarantie ⇨ Mischung aus Wahllosigkeit aufgrund Schwervermittelbarkeit und Beamtendeutsch.

jede Zuschrift wird beantwortet ⇨ muß es nötig haben.

auch Ausländer ⇨ meist Zeichen für eine gewisse Wahllosigkeit (sonst hätte man es nicht erwähnt).

Alter/Aussehen/Gewicht egal ⇨ abstoßende Wahllosigkeit.


# Anzeigen-Stile

## Die informative Anzeige

»BWL-Studentin, 24/168/54, dkl. blond, Typ Annie Lennox, aber gerne überdreht, liebt Pop-Art, Steve Martin und schlagfertigen Small talk und sucht selbstsicheren SPIEGEL-Leser ohne Dickkopf, aber mit Frisur und Klavier (Debussy, Bill Evans) für erstmal nicht so eng.«

Wem es gelingt, sich selbst und seine Vorstellungen dicht, präzise und unmißverständlich zu formulieren, der bekommt nicht unbedingt die meisten, aber die meisten interessanten Antworten. Dieser Stil paßt zu Inserenten, die wissen, wer sie sind und was sie wollen.

## Die Angebotsanzeige

Wenn man (vor allem im Stil der »informativen Anzeige«) in erster Linie beschreibt, wer man ist und was man selbst zu bieten hat, aber kaum umreißt, wen man sucht, erzielt man eine ungewöhnlich große Resonanz – kann aber mit vielen der Antworten nichts anfangen. Mit Angebotsanzeigen werden Inserenten glücklich, die nicht auf einen bestimmten Partnertyp festgelegt sind. Gerade Inserenten, die »auf freier Wildbahn« nicht besonders attraktiv wirken und keine hohen Anforderungen an die Schönheit ihres Partners stellen, können mit ihren versteckten Qualitäten werben und Erfolg haben.


## Die Suchanzeige

Gelingt es dem Inserenten, selten verlangte und »individuelle« Qualitäten von seinen LeserInnen zu erbitten, bekommt er ein paar sehr interessante Antworten. Besteht die Liste seiner Anforderungen aus den üblichen Wünschen nach dem Klischee-Traumpartner, wird der Inserent als durchschnittlicher Langweiler mit überzogenen Ansprüchen ignoriert. Mit anderen Worten: Cindy Crawford meldet sich nicht, weil jemand einen »Typ Fotomodell oder Filmstar« sucht, sondern nur, wenn eine »Frau mit einer Leidenschaft für klassische Teddys« gewünscht wird – und zufällig ist Cindy eine begeisterte Teddy-Sammlerin.


## New-Age- und Betroffenheits-Kitsch

»Schweigen und sich sehen, innen wie außen, deine Haut wie das Geheimnis deiner Augen...«, »innerlich und äußerlich schön«, »Auseinandersetzung und Akzeptanz«, »ohne Berührungsängste«, »mit Gefühl für Distanz und Nähe« – sentimentale Stubenhocker schreiben schwülstigen Kitsch im Psycho-Jargon, weil sie sich für poetisch/literarisch und sensibel halten. Meist stammen diese Leute aus dem (halb)alternativen Milieu und haben esoterische/spirituelle/New-Age-Interessen. Enttäuschungen sind sehr häufig, weil die gemeinsame Begeisterung für das inserierte Geschwafel nur zu Illusionen über die restlichen – wichtigen! – Eigenschaften des anderen führt. Man sollte sich am Telefon »nüchtern« unterhalten.


## Die (peinlich) »witzige« (Metaphern)Anzeige

»Wieviele Frösche muß man küssen, bis...?«
»Millionär mit Villa und Porsche bin ich nicht, aber...«

»Fahndung! Gesucht wird...«
Wenn einfallslose Autoren unbedingt »witzig« und locker erscheinen wollen, greifen sie tief in die Phrasenkiste und begeistern Leute, die so sind wie sie selbst: moderne Spießer. »Topf sucht Deckel«, »Fisch sucht Fahrrad«, »Wolf sucht Wölfin zum gemeinsamen Heulen« – viele Worte, wenig Information in oder zwischen den Zeilen führen zu wenig Rücklauf, und die meisten Antworten sind uninteressant. Dies gilt übrigens auch für die liebenswert bescheidene Variante dieses Anzeigentyps: »Du mußt nicht so gut aussehen wie Tom Cruise und auch nicht so reich sein wie Onassis...«


## Im Stil der Werbung

»Was Besseres? Ich leider auch...«
»Bin netter, als ich hoffe, aber angenehm abgebrüht...«
»Optische Täuschung zum Angeben«
»Faxen statt treffen! Weil Aussehen wichtiger ist, als die anderen wollen.«
»Nimm mich – bevor es drei andere tun.«
Statt langweiliger Listen mit Fakten, wird viel Information über Persönlichkeit und Intelligenz unterhaltsam verpackt. Man hebt sich automatisch von der »Konkurrenz« ab. Derartige Texte sprechen alle an, die Intelligenz und Kreativität erkennen und lieben. Höchste Antwortquote von Lesern, die eigentlich niemandem antworten wollten. Leider etliche Anfragen von Lesern, die vom Text überfordert waren.


## Der Anspielungsstil

Im Text kommen Zitate aus Literatur, Theater oder Songtexten vor, die aber nur von einer verschwindend kleinen Minderheit verstanden werden. Ständig muß man den Antwortenden erklären, was gemeint war. Uneffektiv – weil übertrieben eingrenzend bis abgehoben.


## Die Trotzanzeige

»Bin häßlich, dumm, dick...«
»Suche verschuldeten, versoffenen, perversen...«
»Suche bildschönen Millionär mit Villa und Ferrari...«
Der Inserent gefällt sich in allgemeiner Verweigerung und gibt seinen Lesern keine Information. Man will sich krampfhaft von den positiven Annoncen-Klischees abheben. Durch negative Klischees? Der verklemmte und flache Humor der Trotzanzeige zeugt von einer pubertären Einstellung und gefällt

besonders der Unterschicht. Trotzanzeigen werden gern von linksalternativen Frauen aufgegeben, die dann Antworten von Bild-Zeitungs-Lesern bekommen.

## Die Verlegenheitsanzeige

»Kann man einen Menschen in so wenigen Worten beschreiben, ohne ihn in Schubladen zu zwängen?«
»Ich weiß nicht, warum ich diese Anzeige...«
So unsicher und verklemmt entschuldigt sich der Autor, weil er sich schämt, es »nötig zu haben«. Dieser Anzeigentyp transportiert eine resignative, depressive Einstellung, aber kaum Informationen. Er spricht nur humorlose Leser mit derselben verklemmten Einstellung zu Kontaktanzeigen an. Verlierer trifft Verlierer.

## Die genervte Wiederholungsanzeige

»Bitte keine Spinner, keine normalen Spießer, keine Szene-Typen, keine Profis, keine Neurotiker, keine Hobbypsychologen, keine...«
»Habe die Schnauze voll von...«
»Bitte keine Männer, nur ernstgemeinte Anrufe«
»Warum melden sich immer nur...?«
Wenn Inserenten mit schlechten Erfahrungen nicht wissen, wie sie ihre Wünsche positiv und trotzdem selektiv formulieren sollen, sagen sie einfach, was sie nicht (mehr) wollen. Sie wissen immerhin, was sie nicht wollen, und sie haben gehobene Ansprüche – könnten also interessant sein. Das negative Element ihrer Texte wirkt aber selbstmitleidig, frustriert, kalt, pessimistisch und wie Massenabfertigung am Fließband. Manche Leser könnten sich obendrein eingeschüchtert und überfordert fühlen.

## Die frustige Hilferufanzeige

»Nach langer Enttäuschung frage ich mich: gibt es in dieser Stadt niemanden, der...«
»Sehnst du dich auch nach...?«
»Ich bin nicht schlecht, aber trotzdem allein.«
Diese frustrierten Autoren mit Torschlußpanik stellen ihre eigenen Probleme in den Vordergrund. Damit sprechen sie nur Leser mit Helfersyndrom, schwervermittelbare Personen oder Problemtypen an – auf keinen Fall aber gutgelaunte Menschen. Besonders erfolgloser Anzeigentyp.

46

## Die »Mein Geschmack ist«-Anzeige

»Tschaikowski, Beatles, Miles Davis. Cezanne, Lichtenstein, Rothko. Thomas Mann...«
»Rotwein in der Toscana, Pavarotti singt Verdi, Frühstück im Garten, Spätaufstehen...«
Dieser Anzeigentyp vermittelt überaus viel Information über Einstellung, Persönlichkeit, »Lifestyle«, Charakter und Leidenschaften. Er spricht genau die richtigen Leser an, nämlich alle, die den Geschmack des Autors teilen. Höchster »Überredungseffekt« bei Lesern, die eigentlich niemandem antworten wollten.

# Tips zur Formulierung

**Vermeiden Sie Klischee-Formulierungen!** Mit »Prinz sucht Prinzessin« oder anderen abgedroschenen Phrasen sagen Sie nur eines über sich aus: »Ich bin einfallslos.«
Je häufiger Sie bestimmte Wörter oder Phrasen in anderen Anzeigen gelesen haben, desto langweiliger wird man jede weitere Benutzung finden.
**Sparen Sie sich Selbstverständlichkeiten!** »Suche ehrlichen Partner« – wer sucht schon einen unehrlichen Partner? Sie müssen auch nicht erwähnen, daß Sie Ihren Partner lieben und sich mit ihm gut verstehen wollen.
**Konzentrieren Sie sich auf Ihre Stärken und Besonderheiten!** Sie erzielen schon gute Rückläufe mit einer Liste von verbreiteten und besonders erwünschten Eigenschaften – »einfühlsam, sinnlich, intelligent, witzig, aktiv, interessant, zuverlässig, charmant«.
Individuelle Spezialitäten wirken interessanter: Worin unterscheiden Sie sich von anderen? Was lobt man immer an Ihnen? Was kommt an? Worauf können Sie stolz sein? Womit haben Sie Ihre Ex-Partner glücklich gemacht? Das gehört in Ihre Annonce! Sind Sie z.B. überdurchschnittlich charmant, bringen Sie das intelligent formuliert in Ihrer Anzeige unter.
**Keine falsche Bescheidenheit!** Die Kunst besteht darin, sich selbst zu loben, ohne eingebildet zu klingen.
**Seien Sie konkret!** Statt sich nichtssagend als »attraktiv« zu bezeichnen, sagen Sie besser, was genau Sie so attraktiv macht. Einem Inserenten »mit schönem Mund« unterstellt man, daß er auch sonst ganz appetitlich ist. Einen »Mann mit schönen Beinen« finden Frauen humorvoll.
**Beschreiben Sie Ihren Geschmack!** Wenn Sie Ihre drei Lieblings-Musiker/Bands/Komponisten, Ihre drei Lieblings-Schauspieler, Lieblings-Filme, Lieblings-Fernsehsendungen, Lieblings-Maler oder Lieblings-Autoren nen-

nen, sagen Sie mit 3 Namen mehr über sich als mit 50 Adjektiven.

**Beschreiben Sie Ihren Typ!** Sind Sie »optisch Typ Grönemeyer, ansonsten Richard Gere in ›Pretty Woman‹«, »Typ Tom Cruise« oder »Typ Kinkel«? Vergleichen Sie sich und Ihre Wünsche mit Prominenten (und unterscheiden Sie zwischen Image, Aussehen, bestimmten Filmrollen etc.). Der Vergleich mit ähnlich aussehenden Prominenten ist die einzige Möglichkeit für Leute jenseits des herrschenden Schönheitsideals, ihr Aussehen sympathisch darzustellen (»Typ Woody Allen«, »Typ Bette Middler«, »Typ Gregor Gysi«). Wer sich zwei oder drei Stempel aufdrückt, wirkt individueller als der unerträglich verbreitete »Ich passe in keine Schublade«-Typ.

**Nennen Sie Hobbys und Aktivitäten!** »Hobbys: Telefonieren, Küssen.« – drei Wörter, und man weiß viel über diesen Menschen. »Freizeitgenie zwischen Lovis Corinth und Rainer Fetting« – Kunstkenner wissen sofort, was gemeint ist, Kunstinteressierte könnten es nachschlagen.

Sagen Sie genau, wie intensiv Sie bestimmte Hobbys oder Interessen verfolgen. »52 Stunden Anwältin, 8 Stunden Waldspaziergängerin mit Cockerspaniel« – der Wochenablauf erscheint plastisch vor dem inneren Auge der Leser. »Mann gesucht für 2 Kino-Komödien pro Woche.«

# Wie man den Rücklauf erhöht

**Männer:** Frauen wünschen sich einen selbstbewußten, aber nicht eingebildeten Typ, der wählerisch ist, aber nicht zu anspruchsvoll. Er soll interessant sein, aber ein guter Zuhörer. Humorvoll, aber nicht albern. Erfolgreich, aber nicht materialistisch. Einfühlsam, aber kein Softie. Tolerant, aber nicht feige. Männlich, aber nicht patriarchisch und kein dumpfer Macho. Überlegen, aber mit liebenswerten Schwächen behaftet. Treu, aber nicht mißtrauisch oder krankhaft eifersüchtig. Charmant, aber ehrlich. Gutaussehend, aber nicht (zu) umschwärmt.

Studien belegen, daß Frauen sich für den sozialen Rang eines Mannes und die Sicherheit interessieren, die er emotional und wirtschaftlich bietet.

Es gibt kaum »Patent«-Formulierungen, die den Rücklauf eines Mannes deutlich erhöhen – außer »tierlieb« –, dafür aber viele, mit denen er sich alle Chancen verdirbt: Er darf nicht protzen, nicht über Sex schreiben oder die gesuchte Frau auf ein bestimmtes Aussehen reduzieren. Noch mal: Keine Frau antwortet, nur weil sie sehr hübsch, blond und langhaarig ist und genau dies in einer Annonce gesucht wurde!

**Frauen:** Bezeichnet sich eine Frau als »sehr hübsch«, wird sie mit Anfragen überschwemmt. Auch »langbeinig«, »langhaarig«, »sehr gute Figur«, »mit Sex-Appeal« garantieren einen riesigen Rücklauf.

Dämpfend wirken vor allem »mit Kind«, bei jüngeren Zielgruppen auch »häuslich« und Forderungen wie »Treue« oder »Ehrlichkeit«. Viele Männer reagieren verunsichert auf Frauen, die sich als sehr selbständig, emanzipiert, selbstbewußt, erfolgreich und überdurchschnittlich intelligent darstellen und obendrein noch genau zu wissen scheinen, was (vieles!) sie wollen.

# Probleme mit Magazinen und Zeitungen

Alle seriösen Blätter behalten sich vor, Inserate abzulehnen. Fäkalsprache, der offen vorgetragene Wunsch nach ungewöhnlichen Sexpraktiken und frauenfeindliche Formulierungen sowie Hinweise auf Prostitution werden von den meisten nicht akzeptiert.

Möchte man ein Inserat mit Telefonnummer aufgeben, muß man bei einigen Blättern eine Fotokopie seines Ausweises beilegen. Andere rufen den Inserenten vor Erscheinen der Annonce testweise an. Sollte der Verlag eine »Telefonliste für Stammkunden« anbieten, kann man sich dort gratis eintragen lassen und künftig ohne Formalitäten annoncieren.

Manche Stadtmagazine sind sehr streng, was den Umfang der Inserate betrifft. Man sollte den Vordruck im Heft benutzen oder, wenn man den Text auf einem Computer geschrieben hat, im Ausdruck die Textlänge vermerken (z.B. »227 Zeichen, einschließlich Leerzeichen und Interpunktion«).

Leider arbeiten viele Stadtmagazine nicht sonderlich sorgfältig. Immer wieder hört man von Tippfehlern – besonders lästig, wenn es einen bei den Zahlenangaben trifft und man plötzlich zehn Jahre älter, dafür aber zehn Zentimeter kleiner ist.

Bei der Bezahlung ist zu beachten, daß in den Brief gelegte Banknoten nicht unbedingt ihr Ziel erreichen. Euroschecks oder Überweisungsbelege sind sicherer.

# Auf Chiffre schreiben

## Lohnt sich der Aufwand?

Die Erfahrungen von Inserenten und Briefeschreibern decken sich weitgehend mit den Informationen, die ich von Leuten bekommen habe, die in verschiedenen Magazinen mit dem Versand von Chiffreantworten zu tun haben.

### Stadtmagazine

Männer antworten Frauen: In Großstädten bekommen Frauen mit interessanten Anzeigen 20 – 60 Antworten[1]. Wurde ein Bild verlangt, legen drei Viertel der (männlichen) Briefeschreiber eines bei.
Typisch für viele Frauen ist das, was Barbara mit den dicken Päckchen voller Briefe gemacht hat, die ihr das Stadtmagazin zugeschickt hat: »Die Hälfte der Briefe flog direkt in den Papierkorb: Fotokopierte Texte haben bei mir keine Chance. Briefe, die wie Bewerbungsschreiben klingen, interessieren mich nicht. Oder diese ›Zettel‹, irgendwo rausgerissen, und schnell ein, zwei Zeilen draufgeschmiert. ›Fand Deine Anzeige gut. Ruf mich mal an.‹ Und dabei noch drei Schreibfehler. Nee, tut mir leid.«
Und was geschieht mit dem Rest? Frauen treffen sich selten mit mehr als 4 – 6 Männern aus einer Annoncenrunde. Die anderen haben also ganz umsonst geschrieben.
Wenn ein attraktiver Mann Antworten mit Fotos verschickt, liegt der Rücklauf etwa bei 10 – 20 %. Im besten Falle wird also jeder fünfte Brief beantwortet.
Man sollte also nicht zuviel Zeit darauf verwenden, endlose Antwortbriefe zu schreiben.
Die besten Chancen hat man, wenn man seine Antwort noch am Erscheinungstag des Magazins absendet und so zur heißerwarteten ersten Antwort wird. Auch mehrere Wochen nach Erscheinen einer Annonce kann man Glück haben: »Wenn Du sehr wählerisch bist, hast Du jetzt etliche Blind Dates hinter Dir und Dich noch nicht verliebt. Und jetzt kommt ein Nachzügler, der...«

---

[1] Haben sie sich als ungewöhnlich hübsch und erotisch aufgeschlossen beschrieben, können sie leicht weit über 100 Briefe bekommen.

Frauen antworten Männern: Wesentlich besser sehen die Chancen für Frauen aus, die Männern schreiben, weil nur wenige Frauen (0 – 5) sich diese Mühe machen.

## Überregionale Zeitungen

Frauen erhalten zwischen 15 und 100 Antworten, je nachdem, wie sehr sie der allgemein gesuchten Traumfrau zu ähneln behaupten. Entsprechend gering sind die Chancen des schreibenden Mannes, eine Rückantwort zu erhalten. Je attraktiver die Inserentin erscheint, desto mehr Mühe muß er sich geben, wenn er in die engere Auswahl kommen und angerufen werden will. Männer können mit 5 – 30 Antworten rechnen. Der Chefarzt mit eigenem Privatsanatorium in der Schweiz hat mehr Post zu beantworten als der Realschullehrer in einer Kleinstadt.

# Das richtige und das falsche Foto

Das Beste am Foto ist: Wenn sich der Inserent bei Ihnen meldet, nachdem er Ihr Bild gesehen hat, wissen Sie schon, daß er Ihr Aussehen sympathisch findet. **Fotos erhöhen die Wahrscheinlichkeit einer Antwort!** Wenn Ihr Inserent besonders interessant zu sein scheint, bekommt er evtl. viel mehr Antwortbriefe, als er bewältigen kann. Erfahrungsgemäß rufen Inserenten mit hohem Rücklauf vor allem die Briefeschreiber an, deren Foto ihnen gefallen hat (vorausgesetzt, der Brief hat den positiven »ersten Eindruck« nicht verdorben).

Ein (recht attraktiver) Mann erzählte mir allerdings, daß eine Inserentin ihn anrief und sehr mißtrauisch war, weil er auf dem Foto so gut aussah. Sie konnte sich nicht vorstellen, daß ein solcher Mann sich die Mühe macht, auf Annoncen zu schreiben, und suchte verzweifelt nach einem Haken. »Wir haben über eine Stunde lang telefoniert und uns für den übernächsten Tag verabredet. Drei Stunden vorher hat sie abgesagt.«

Ein Bild sagt wirklich mehr als 1.000 Worte – und es macht wesentlich weniger Arbeit als ein Brief mit 500 Worten. Am besten legt man seiner Antwort mehrere Fotos bei – als Farbfotokopie. Fotos werden geliebt! Sie sind zwar eigentlich noch weniger individuell als ein fotokopierter Text – aber sie wirken anders.

»Ich habe Dir vier Fotos von mir herausgesucht und gleich fotokopiert, damit Du mir keine Originale zurückschicken mußt.« – das klingt nach mindestens zwei Nachmittagen Arbeit, nur für eine einzige Antwort. Dabei lag die Auflage im Copyshop vorsorglich bei 100 Exemplaren (150 Mark).

Schreiben Sie von Hand die Jahreszahl auf jedes Foto, evtl. auch einen nicht zu peinlichen Kommentar, das wirkt unschlagbar individuell.

**Lassen Sie sich fotografieren.** Am wichtigsten sind Portraitfotos, die Ihre typischsten Gesichter/Mienen zeigen. Solche Bilder kann man nicht in der Atmosphäre eines Fotostudios mit Schwerpunkt Bewerbungsfoto anfertigen lassen, noch weniger im Fotofix-Automaten bei Karstadt.

»Ich habe einen befreundeten Hobby-Fotografen gebeten, zwei Filme durchzuziehen«, erzählt mir ein HiFi-Verkäufer. »Damit es nicht nach Posieren aussieht, hat er mich fotografiert, während ich in ein Gespräch mit einem Kumpel vertieft war. Auf den meisten Bildern sah ich echt natürlich aus.«

Bitten Sie den »Fotografen«, auch Bilder aus einer Entfernung von bis zu zwei Metern zu schießen, so daß man Ihre Haltung, Ihren Kleidungsgeschmack und einen Hintergrund erkennen kann. Sie können sich mehrfach umziehen und in verschiedenen Zimmern Ihrer Wohnung plaudern – so steigern Sie den Informationsgehalt der Bilder.

Verwerfen Sie alle Fotos, auf denen Sie posieren! Mit Urlaubsfotos (»Ich vor zehn Jahren nachts vor dem Eiffelturm« – Turm in ganzer Größe, Ihr Gesicht kleiner als ein Pfennigstück, rote Blitz-Augen) blamieren Sie sich leicht. Noch peinlicher sind nur »Ich vor meinem BMW vor meinem Fertighaus« und »Ich nackt«.

Wie wäre es mit einer Fotodokumentation? Stellen Sie sich und Ihren Alltag fotografisch vor. Nehmen Sie eine Kamera mit und bitten Sie Freunde oder Kollegen, Sie – möglichst ohne Posieren! – in Ihrer Wohnung, am Arbeitsplatz oder bei Ihren Lieblingsaktivitäten zu knipsen. Wenn Sie von jedem Motiv gleich fünf Aufnahmen machen lassen, ist immer eine gelungene dabei. Noch mal: Die Bilder dürfen nie nach Angeberei aussehen.

Ein Freund sagte mir: »Am liebsten würde ich auch Bilder meines Bekanntenkreises oder sogar meiner Ex-Freundinnen versenden. Sofort wäre klar, war ich bin. Aber ich bin mir sicher, die Damen fänden das geschmacklos.«

Fotos werden selten zurückgeschickt. Trotz frankierter und adressierter Rückumschläge liegt die Rücksendungsquote nur bei ca. 25 %. Schreibt man ein zweites Mal, um die Rücksendung anzumahnen, läßt sich die Quote auf 40 % erhöhen. Also: Nicht mit Rücksendung rechnen, **niemals Originale verschicken**, statt dessen Farbkopien nehmen.

# Umfang – Ausführlichkeit – Thema

**Ein langer Brief** sagt: »Ich nehme dich wichtig.« – und wird entsprechend wichtiger genommen, je länger der Brief ist. Lange Briefe wirken immer romantisch. »Irgendeine innere Stimme sagte mir, setz dich hin, schreibe und

schreibe und schreibe, auch gegen jede ›Vernunft‹. Sprach da das Schicksal?«
Der lange Brief suggeriert auch, daß sein Autor höchstens noch eine oder
zwei weitere Annoncen beantwortet hat, also nicht wahllos ist.
Je mehr eindeutige Informationen die Annonce enthält, desto mehr kann
und sollte (!) man antworten.
Gegen den (sehr) langen Brief spricht der große Zeitaufwand, den er erfordert – was zu dem Eindruck führen könnte: »Man muß es ziemlich nötig haben, wenn man sich soviel Mühe gibt.« Außerdem hat der Briefeschreiber
seitenweise Zeit, sich zu blamieren oder – dummer Zufall – irgendwelche
Nerven zu treffen.
Liegt ein **Foto** bei, verliert der Text an Bedeutung, weil er eine ablehnende
Haltung gegen die Person auf dem Foto auch durch große Textlänge und gelungene Sprache kaum korrigieren kann. Also: Nicht zu ausführlich schreiben, wenn man ohnehin Fotos beilegt.

**Ein kurzer Brief** sagt: »Ich will erst mal nicht viel investieren.« Und: »Mir
fällt nicht viel ein.« Und: »Für so groß halte ich die Wahrscheinlichkeit
nicht, daß du ausgerechnet mich mit deiner Anzeige gemeint hast.« Die
Wahrscheinlichkeit einer Antwort ist geringer als beim langen Brief. Lange
Briefe werden entsprechend häufiger beantwortet als kurze.
Findet der Empfänger **mitgeschickte Fotos** sympathisch und weckt der
kurze Text Neugier, ist diese Kombination sehr erfolgreich – denn sie sagt
ja: »Ich verstecke mich nicht, ich bin interessant, aber ich habe es nicht so
nötig, daß ich den ganzen Tag an einem Brief an eine unbekannte Person ba-
steln muß.«
Überraschend gute Erfolge erzielen sogar Männer, die nur ein Foto mit
ihrem Namen und ihrer Telefonnummer verschicken. Das wirkt kühn und
selbstsicher. Gelingt dazu noch ein kurzer Satz mit der Dichte einer Werbe-
botschaft, lässig hingeworfen in erwachsener Handschrift und nicht mit Kuli, ist ein Rückruf fast sicher.
Frauen dürfen sich noch weniger anstrengen. Je besser sie aussehen, desto
weniger müssen sie über sich schreiben. Überdurchschnittlich attraktive
Frauen dürfen ihrem Foto sogar einen fotokopierten Text beilegen, in dem
sie ihre Mindestanforderungen auflisten.

## Inhalt des Antwortbriefes

Wer Erfolg haben will, sollte möglichst **geistreich auf die Formulierun-
gen der Anzeige eingehen.**
Aber was will man einer Frau schreiben, die nur inseriert: »Suche netten
Freund.«?
Auf keinen Fall darf man ihr Vorwürfe machen, egal wie einfallslos ihre An-

zeige gewesen ist. Niemand läßt sich gern belehren, und wenn Sie das nichtssagende Wort »nett« kritisch betrachten, sieht die Inserentin in Ihnen sofort den Wortklauber, Besserwisser und Oberlehrer. Beispiele: »Ich bin nicht ›nett‹, aber statt dessen etwas viel Besseres…« oder »Deiner Anzeige war nicht viel zu entnehmen, aber ich dachte trotzdem…«

Statt dessen könnte man darüber schreiben, warum man glaubt, daß die Inserentin ausgerechnet einen »netten« Freund sucht, wo sie doch auch andere Qualitäten an Männern hätte wichtiger finden können. »So viele Menschen verstehen nicht, was das Wort ›nett‹ wirklich bedeutet, nämlich die Zusammenfassung so vieler angenehmer Qualitäten wir Freundlichkeit, Höflichkeit, Offenheit, Toleranz…« – und das sind genau die Qualitäten, die man selbst mitbringt. »Ich frage mich immer, wieso Männer beleidigt sind, wenn man sie ›nett‹ nennt. Ich bin gern nett, und wenn Du mich nett finden würdest, wäre das ein Kompliment für mich.« Kurz: Die Inserentin ist so wundervoll anders und einzigartig, weil sie einen »netten« Freund sucht.

Auch über das Wort »Freund« könnte man einen verständnisvollen, netten Aufsatz schreiben, und diese Inserentin würde begeistert sein.

Man will so den Eindruck erwecken, man habe sich mit der Annonce auseinandergesetzt, es habe »irgendwie geklingelt« und man könne sich bestens in den Texter hineinversetzen.

Zu allem, was der Inserent in seiner Annonce über sich und seine Wünsche gesagt hat, können Sie launig kommentieren: »Das finde ich wunderbar, das verstehe ich, davon habe ich schon immer geschwärmt.«

Bei jeder Position auf dem Wunschzettel des Inserenten erklären Sie: »Das kann ich Dir geben.« und »Ich habe schon immer von einem Menschen geträumt, der genau Deine Wünsche hat.«

**Nichts Negatives antworten!** »Leider interessiere ich mich nicht wie gefordert für…« oder »Ich bin zwar nicht der gesuchte…« – so kommen Sie nicht weiter. Bleiben Sie positiv! Sie wollen mit Ihrer Antwort erreichen, daß man Sie anruft!

**Die Informationen zur eigenen Person** sollte man kurz und präzise halten und so formulieren, als habe man sie ganz individuell für diesen Brief zusammengestellt. (Auch wenn es nur Textbausteine waren, die am Computer in den Brief montiert wurden.)

**Ihre eigenen Wünsche und Anforderungen** wären zwar vernünftiger Bestandteil einer schriftlichen Anwort, aber gerade bei Frauen kommt so was gar nicht gut an – nicht mal, wenn es positiv formuliert wird.

Auch eine **zu professionelle Gestaltung** bringt Nachteile. Sie schmeckt immer nach Serienbrief und Massensendung. Computerausdrucke lassen sich zwar besser lesen, aber trotzdem wird Handschrift bevorzugt (Füller statt Kuli!). Schreiben Sie sauber und ordentlich, lassen Sie an allen Seiten reichlich Ränder, legen Sie sich ein Linienblatt unter.

Wählen Sie normales Schreib- oder Kopierpapier ohne den Briefkopf Ihrer Weltfirma. Bunte Bögen oder Papier mit Aufdrucken sprechen nur Menschen an, die Ihren (kitschigen?) Geschmack teilen.

Gern gesehen und sehr beliebt ist jede Art von künstlerischer Gestaltung (allerdings nur in freundlichen Farben). **Basteleien, Aufgeklebtes und Kollagen** suggerieren Kreativität und Individualität – und: »Der/die hat sich aber Mühe gegeben!«

## Serienbriefe und fotokopierte Texte

Der Artdirektor einer Werbeagentur machte einmal einen Prospekt über sich. Seine Biografie, seine Persönlichkeit, seine Leidenschaften, viele Bilder von ihm und seiner Umgebung, ja sogar seine Mängel und Schwächen waren realistisch erwähnt. Heraus kam ein ansprechendes Informationspaket, gut formuliert und illustriert, informativ und unterhaltsam. Wieviele Männer in der ganzen Welt haben so etwas schon getan? Er war ungewöhnlicher als ein Nobelpreisträger. Aber trotzdem fiel sein Prospekt durch. Warum?

Fotokopierte Texte können so gut geschrieben und so aussagekräftig sein wie sonst kein Brief in einem noch so kleinen Stapel langweiliger Antworten – trotzdem wandern sie fast immer in den Papierkorb. Sie wirken zu sehr nach Fließband und Wahllosigkeit. InserentInnen brauchen das irrationale Gefühl, man gehe ganz individuell auf sie ein und nehme ihre kleine Anzeige furchtbar wichtig. **Serienbriefe** sollte man also handschriftlich vervielfältigen.

**Computer-Standardbriefe** können am Computer leicht individualisiert werden: Alle paar Zeilen nimmt man Bezug auf den Annoncentext. Ein oder zwei absichtliche Tippfehler werden nachträglich – höchst individuell – von Hand verbessert. Der Brief wird mit einem handschriftlichen Postskriptum aufgewertet.

**Steckbriefe**, in denen man sich ausführlich beschreibt, führen auch als Anlage zu einem individuellen Brief zu eher negativen Ergebnissen. Man fragt sich offenbar: »Warum treibt jemand den Aufwand, einen solchen Steckbrief zusammenzustellen?« Weil er zahllose andere Annoncen fließbandmäßig beantwortet. Und warum tut er das? Wegen Schwervermittelbarkeit? Wegen unstillbarem Sexhunger? Die meisten Menschen wollen – leider – nicht informiert werden, sondern – hochromantisch – »dich persönlich erforschen«. Bleiben Sie also geheimnisvoll genug.

Alle Briefe sollten frankiert und per Post geschickt werden. Eine Frau, die über 50 Antworten bekam, sagte mir: »Kuverts ohne Briefmarke sind verdächtig. Wahrscheinlich hat der Absender noch 120 andere Inserate beantwortet und seine Briefe persönlich in den Briefkasten des Stadtmagazins geworfen, um Porto zu sparen. Mit solchen Profis will ich mich nicht treffen.«

# Antwortbriefe bekommen

Wie man eine Kontaktanzeige formuliert, wurde bereits ausführlich unter »Texten und Verstehen« (ab S. 23) beschrieben. Sämtliche Aspekte des ersten Telefonates mit Ihren Lesern werde ich gleich sehr ausführlich unter »Telefonieren« (ab S. 58) behandeln. Vorher soll es nun um die Antwortbriefe gehen, die man auf eine Chiffreanzeige erhält.

## Chiffre: Briefe bekommen

Schon drei Tage nach Erscheinen der Annonce könnnen die ersten Antworten ins Haus flattern.

Die **Handschrift** spiegelt die Persönlichkeit eines Menschen wider. Wer sich sowieso gerade mit Graphologie beschäftigen wollte, kann hier ganz wunderbar trainieren. Nach Handbuch schätzt man die Person ein, dann ruft man sie an und trifft sich mit ihr. Wieviele von den graphologisch begründeten Vermutungen haben sich bewahrheitet?

**Papier und Gestaltung** sagen auch ein bißchen über den Briefeschreiber aus. Sehr ordentliche Aufteilung? Umweltschutzpapier mit oder ohne Aufdruck? Eigener Briefkopf? Erstaunlich häufig bekommt man Briefe auf Blättern, die ruppig aus irgendwelchen Ringbüchern herausgerissen wurden.

Die meisten ungeübten Briefeschreiber schreiben, wie sie sprechen – und das hat mit dem »guten Deutsch« nicht immer viel zu tun. Es kann aufschlußreich sein, sich einen Brief laut vorzulesen.

Tun Sie **Fotokopien** nicht grundsätzlich ab, sondern nur, wenn deren Inhalt Sie auch in handschriftlicher Ausgabe als Einzelstück nicht interessiert hätte. Schicken Sie die Fotos zurück, auch wenn Sie es nicht ausdrücklich versprochen haben. Wenn Sie die Bilder unbedingt für Ihren Ordner brauchen, so machen Sie einfach Farbfotokopien von den Originalen.

## Sortieren

Martina (28): »Ich telefoniere lieber mit einem Briefeschreiber zuviel als mit einem zuwenig. Bei den Uninteressanten halte ich mich nur fünf Minuten auf. Dann behaupte ich, daß ich sehr viele Antworten bekommen habe und sage: ›Ich wollte mir mal kurz deine Stimme anhören. Hat mir gut gefallen. Wahrscheinlich rufe ich dich nächste Woche noch mal an.‹« Ihr jetziger Freund »war eine von den Überraschungen, die mir entgangen wäre.«

## Briefwechsel

Gerade unter der älteren Generation gibt es Menschen, die sich durch einen Briefwechsel kennenlernen wollen. Sie lassen sich gern Zeit, geben sich Mühe und können sich mit dem Telefonieren nicht so recht anfreunden.

Jeder Briefwechsel ist zeitaufwendig. Man sollte sich möglichst früh Fotos zuschicken, wenn man spätere Ernüchterung vermeiden will.

# Telefonieren

Zwei Menschen, die sich noch nie gesehen haben, treffen sich in einem Café. Die beiden wollen einander kennenlernen. Das Gespräch beginnt mit irgendeinem Thema. Frage – Antwort – Nachfrage oder eigenes Statement – dann nächstes Thema – und so weiter. Man sucht nach Trennendem und – vor allem – nach Gemeinsamkeiten und entscheidet dabei, ob man sich sympathisch findet, einen »Draht zueinander hat«.

Jedes Kennenlernen läuft nach diesem Muster ab – auf einer Party genauso wie bei einem Blind Date oder beim ersten Telefonat nach einer Kontaktanzeige. Sogar ein Briefwechsel funktioniert nach diesem Prinzip. Immer wieder werden die gleichen Themen besprochen, und auch die Fragen ähneln sich.

Ich habe alle Aspekte des »Kennenlernens« am Beispiel des ersten Telefonates mit einem/r völlig Unbekannten beschrieben, weil diese Kennenlern-Situation am typischsten für das Kontakten ist: Man weiß so gut wie nichts übereinander (weil man sich vorher nicht wie bei Chiffreanzeigen geschrieben hatte), man kann sich nicht sehen (im Gegensatz zum Blind Date im Café), und man hat keine Zeit, sich seine Antworten und Fragen zu überlegen (anders als beim Briefwechsel).

Ein Telefonat mit einem Antwortbrief als Grundlage ist bereits deutlich »einfacher«, weil man mehr »natürliche« thematische Bezugspunkte und die Inserentenseite vielleicht sogar ein Foto in der Hand hat. Das Gespräch im Café ist noch weniger kompliziert, weil man sich sämtliche Fragen zum Aussehen sparen und parallel zu den Worten des Dialogs Mimik und Körpersprache des Gesprächspartners betrachten kann.

Lesen Sie in diesem Kapitel ab »Worum geht es im Gespräch?« (S. 63), und nehmen Sie es als Anregung für den Gesprächsverlauf Ihres Blind Dates oder auch als Materialsammlung für Ihren Briefwechsel.

## Wer sind »Conny« und »Alex«?

In den Dialogbeispielen (ab S. 68) habe ich den initiativen Gesprächspartner geschlechtsneutral »Conny« genannt. Diese Person führt das Gespräch, ist ein erfahrener Anzeigen-Profi und hat das Inserat aufgegeben, auf welches »Alex« (für Alexandra oder Alexander) antwortet. Alex übernimmt den eher passiven Part und hat offenbar wenig Erfahrung mit Kontaktanzeigen.

# Wer ruft wen an?

## Sie haben unter Chiffre inseriert und rufen einen Briefeschreiber an

(Überwiegend: Inserentin ruft Mann an.) Anita (37): »Die meisten Männer rechnen nicht mit dem Anruf und brauchen ein bißchen Zeit, sich auf das Gespräch einzustellen. Sie sind erst mal aufgeregt. Also plaudere ich zwei Minuten munter vor mich hin. Dann kommt er entspannter drauf.«

Als nächstes beschreibt Anita ein häufiges Problem: »Wahrscheinlich hat der Typ mehreren Frauen geschrieben, will das aber nicht zugeben, weil er nicht wahllos erscheinen möchte. Also zitiere ich ein paar Formulierungen aus meine Anzeige, bis der Groschen fällt.«

Als InserentIn wissen Sie aus dem Brief einiges über Ihren Gesprächspartner und sollten ihm nun fairerweise etwas über sich erzählen.

Gesprächsthemen sind leicht gefunden: Knüpfen Sie in dem Gespräch und bei Ihren Fragen an das an, was man Ihnen geschrieben hat.

Selbstverständlich rufen Sie nur Briefeschreiber an, deren Text oder Foto (!) Ihnen sympathisch waren. Noch mal Anita: »Es war seltsam, daß manche am Telefon völlig verkrampft klangen, obwohl sie vom Foto und vom Schreiben her locker wirkten. Aber schockiert war ich erst, als sich einer, den ich auch am Telefon gut fand – sogar sehr gut –, nicht mit mir verabreden wollte.«

**Anrufbeantworter:** Hinterlassen Sie Ihre Telefonnummer und erklären Sie mit einem kurzen Zitat aus Ihrer Annonce, wer Sie sind. Sagen Sie, wann man Sie in den nächsten drei Tagen sicher erreichen kann oder wann genau Sie noch mal anrufen werden. Folgende Nachricht schafft große Sympathie: »Hallo, und am besten jetzt schnell zum Anrufbeantworter rennen, um ihn leise zu drehen, denn gleich kommt eine private Mitteilung. (PAUSE) Sind wir unter uns? Gut. Also: Hier ist...«

Man verbessert seine Chancen ganz erheblich, wenn man sagt: »Mir hat deine Stimme gut gefallen« oder »ich habe mir gleich notiert: ›ungewöhnlich intelligente/sympathische Sprache‹.«

## Sie rufen auf ein Inserat mit Telefonnummer an

(Da praktisch nur Männer mit Telefonnummer inserieren: Frau ruft Inserenten an.) Viele meiner Interviewpartnerinnen berichteten mir: »Bei meinen ersten Telefonaten wußte ich absolut nicht, was ich sagen sollte. Ich stammelte rum, es war mir peinlich, ich hätte am liebsten gleich wieder aufgelegt. Man lernt mit der Zeit, daß man wissen sollte, was man will – und was man sagen will.«

Bereiten Sie sich auf das Gespräch vor, indem Sie sich Ihre wichtigsten Themen und Fragen aufschreiben.

Gehen Sie davon aus, daß der Mann am anderen Ende der Leitung Sie im Laufe des Telefonates nach Ihrem Äußeren fragen wird. Sie können diesen langweiligen Teil des Gespräches erheblich dadurch verkürzen, daß Sie sich vorher ein paar Stichworte zu Ihrem Aussehen notiert haben.

Stellen Sie sich mit Vornamen vor. »Ich rufe auf deine Annonce an. Hast du gerade Zeit, dich mit mir zu unterhalten?«

Gehen Sie in Ihren ersten Fragen auf den Annoncentext ein. Fragen Sie, wie diese oder jene Formulierung gemeint ist, warum der Inserent ausgerechnet das geschrieben hat etc.

Beschreiben Sie sich – auch ungefragt – selbst. Zuerst das Aussehen und Ihre Besonderheiten, dann Ihre Ansprüche und Wünsche. Mit der Einstellung »ich passe in keine Schublade« gehen Sie Ihrem Gesprächspartner auf die Nerven und verschwenden Zeit, die man auf interessante Themen verwenden könnte.

Haben Sie Verständnis dafür, daß sich der inserierende Mann schon etliche Male mit Frauen unterhalten hat, die sich nur einen Scherz erlauben oder ihm seine Zeit stehlen wollten. Vielleicht ist er schon versetzt worden.

**Anrufbeantworter:** Frauen haben oft Bedenken, ihre Telefonnummer zu hinterlassen. Eine angehende Ärztin machte es so: »Hallo, hier spricht Annette. Schade, daß ich dich nicht erwischt habe, denn deine Anzeige hat mich neugierig gemacht, und deine Stimme gefällt mir auch. Ob wir uns was zu sagen haben, könnten wir morgen herausfinden. Dann werde ich dich nämlich noch mal anrufen, und zwar um 19 Uhr – das habe ich mir jetzt in meinem Terminkalender notiert. Ich hoffe, du bist dann zu Hause oder läßt deinen Anrufbeantworter erklären, wann ich dich persönlich erreichen könnte. Tschüß.«

Annette setzte einen Mittelsmann ein: »Hallo, hier ist Annette. (...) Wenn du mit mir telefonieren willst, rufe zwischen 12 und 15 h die Nummer 123 45 67 an. Da meldet sich Mathias Gestner, ein Freund von mir, der meinen Terminkalender neben dem Telefon liegen hat und zwischen dir und mir einen Termin zum Telefonieren ausmachen wird.«

## Sie haben schriftlich geantwortet und werden von einem Chiffre-Inserenten angerufen

Günther: »Wenn man dich auf deinen Brief hin anruft, kannst du davon ausgehen, daß man dich recht interessant und – ich lege immer ein Foto bei – sogar einigermaßen attraktiv findet. Im Prinzip will sich die Frau am anderen Ende der Leitung mit dir verabreden!«

60

Sie sind also in einer günstigen Position, auch wenn Sie nicht auf den Anruf eingestellt und daher erst mal sehr aufgeregt sind. Übrigens: geben Sie Ihr Lampenfieber offen zu (auch als Mann), das macht sympathisch, denn selbst erfahrene Kontakter schwitzen bei Telefonaten.

Günther: »Ich antworte häufiger auf Anzeigen. Wenn eine Frau anruft, weiß ich erst mal nicht, um welche Annonce es geht. Nun kann ich schlecht erklären, ›ich habe auf so viele geantwortet, daß ich mich an deine nicht erinnern kann.‹ Da sage ich lieber, ›es ist schon ein paar Tage her, und ich habe Deine Annonce gerade nicht zur Hand. Kannst du sie mir noch mal vorlesen?‹«

Sie wissen weniger über Ihren Anrufer als umgekehrt. Er muß verstehen, daß Sie ihn ein wenig ausfragen möchten.

Eine Frage hört Ihr Anrufer von jedem: »Wieviel Resonanz hast du auf deine Annonce gehabt, und mit wievielen hast du dich getroffen?« Vermeiden Sie dieses Klischee. Verlangen Sie auf keinen Fall, mit den anderen – Ihrer »Konkurrenz« – verglichen zu werden.

Fragen Sie aber: »Was hat dich an meinem Brief/Foto angesprochen? Was glaubst du, wer und wie ich bin?«

## Sie werden wegen Ihrer Annonce mit Telefonnummer angerufen

(Da – leider – praktisch nur Männer mit Telefonnummer inserieren, sind in diesem Abschnitt die Geschlechter entsprechend verteilt.)

Folgende Anruferinnen darf man erwarten:

1. Ernsthaft interessierte Frauen. Wenn sie schon Erfahrungen mit Kontaktanzeigen haben, sträuben sie sich nicht dagegen, sich selbst zu beschreiben.

2. Frauen, die zum Spaß Kontaktanzeigen lesen und aus einer Laune/ Eingebung heraus spontan anrufen (»Ich wollte wissen, wer hinter einem solchen Text steckt.«). Sie wollen sich zu einer Verabredung überreden lassen, sind aber wählerisch und entsprechen oft nicht den in der Anzeige genannten Anforderungen. Besonders dieser Typ sagt gerne ab oder erscheint nicht zum Blind Date, weil der Mut kurz vor dem Treffen auf Null absinkt.

3. Frauen, die sich gemeinsam mit ihrer Freundin einen Jux machen wollen. Sie fanden Ihre Anzeige »witzig« oder provokant, entsprechen aber oft nicht den genannten Anforderungen. Sprechen Sie mit beiden abwechselnd, aber jeweils nur kurz, und überlegen Sie sich dann, ob sie sich mit einer, mit beiden oder gar nicht verabreden wollen. Spontanverabredungen (»also in einer Stunde im Café Soundso«) kommen häufig vor. Versetztwerden leider auch.

4. Teenager (bis 25), die die Nummer ihrer Feindin auf die Anrufbeantworter der Inserenten sprechen und um nächtlichen Rückruf bitten oder nach einem kurzen Telefonat mit leicht erotischer Komponente Männer »spontan in meine Wohnung« einladen – aber Namen und Adresse der Feindin angeben. Männer sollten sich daher bei unwahrscheinlich klingenden Angeboten die Telefonnummer ihrer Anruferin geben lassen und umgehend zurückrufen. Hebt die Gesprächspartnerin ab, kann man ihr Angebot ernst nehmen.

5. Frustrierte und feministisch eingestellte Frauen, die die Annonce sexistisch und frauenverachtend fanden, weil in ihr ein Typ Frau gesucht wird, dem sie nicht entsprechen. Sie wollen dem Inserenten eine Lehre erteilen: Entweder beschimpfen sie ihn und legen mitten in seiner Entgegnung auf. Oder sie beschreiben sich als die gewünschte Idealfrau, schlagen nach wenigen Minuten eine Verabredung (mitunter mit erotischen Anspielungen) vor – möglichst weit vom Wohnort des Inserenten entfernt – und erscheinen nicht. Dieser Typ verrät unter keinen Umständen seine Telefonnummer.

6. Betrunkene und »Psychos« sind an ihrer Sprache zu erkennen. Unfähigkeit zum Zuhören, schwammige Aussagen, Neigung zur Lüge. Gern finden die Anrufe am Wochenende (Einsamkeit) nach Mitternacht und im Flüsterton statt. Die Aufforderung zum Telefonsex kommt vor. Spontane Einladungen in die Wohnung der Anruferin sind mitunter ernstgemeint. Ich habe mit Männern gesprochen, die sich auf nächtliche »Hausbesuche« eingelassen haben. Sie berichteten ausnahmslos von mitleiderregenden Frauen, die sich zwischen Telefonat und Türöffnen total betrunken und diese für sie gefährlichen Einladungen aufgrund mangelnder Attraktivität ausgesprochen hatten.

Das Telefonat sollte nach fünf Minuten beendet werden. Häufig wird man, wenn man zwei oder drei Annoncen in einem Stadtmagazin geschaltet hat, wenige Augenblicke später erneut von dieser Person angerufen, die sich nun mit einem anderen Namen vorstellt, sich an das erste Gespräch nicht erinnert und eine neue Lügen(Lebens)Geschichte erzählt.

Versuchen Sie, im Gespräch herauszubekommen, welcher Gruppe Ihre Anruferin wahrscheinlich zugerechnet werden muß.

Unter »Der Ablauf des Gespräches« (ab S. 72) beschreibe ich die möglichen Entwicklungen eines Telefonates zwischen einem Anrufer und einem Inserenten mit Telefon-Annonce.

**Anrufbeantworter:** Wenn ein Mann erreichen will, daß eine Frau sich getraut, ihre Telefonnummer zu hinterlassen, muß er lange genug sympathisch genug sprechen. Beispiel:

»Hallo, hier ist Klaus, und ich hoffe nur, daß meine Stimme heute nicht zu gefährlich klingt, denn ich wollte gerade anfangen, dich zu überreden, mir deine Telefonnummer zu hinterlassen und mir auch gleich dazuzusagen, wann dir mein Rückruf passen würde. Sollte dir das doch zu heikel erscheinen, kann ich dir zwei andere Vorschläge machen: Klingele mich morgens zwischen vier und acht Uhr aus dem Schlaf oder hinterlasse mir auf dem Band, wann du mich das nächste Mal anrufst. Ich stehe dann aufgeregt neben dem Telefon. Aber unter uns: Es wäre einfacher, du würdest nach dem Piep einfach mal mutig sein und deine Nummer aufsagen.«

Übrigens passiert es oft, daß Frauen auf Inserate mit Telefonnummer anrufen, sich die Ansage anhören, auflegen und ein paar Minuten später erneut anrufen. Andere Anruferinnen haben sich gestern schon mit Ihnen unterhalten und legen auf, sobald Sie sich gemeldet haben. Wieder andere verläßt der Mut, sobald Sie auch nur »Hallo« sagen.

## Die zweite Telefonnummer – eine Empfehlung

Viele Anzeigen-Profis haben nur für ihre Annoncen eine zweite Telefonnummer angemeldet. 60 Mark Anschlußgebühren, 10 Mark monatliche Kosten, keine Eintragung im Telefonbuch, ein billiger Anrufbeantworter – und los geht's.

Eine Freundin von mir annoncierte mit Telefonnummer. Bis zu 50 Männer ließen sich täglich von ihrem Anrufbeantworter auffordern, ihr »nach dem Piep einen Monolog über mindestens 60 Sekunden zu folgendem Thema:...« zu halten und eine kurze Selbstbeschreibung zu hinterlassen. Ergebnis: über 140 Monologe, 30 Rückrufe, 14 Blind Dates – und ein »Traummann«, mit dem sie seit Jahren zusammen ist.

In den USA funktionieren fast alle Kontaktanzeigen inzwischen telefonisch (**Voice Mail**): Der interessierte Leser spricht (gebührenpflichtig) auf den intelligenten Computer-Anrufbeantworter des Magazins, in dem die Annonce (und ihre akustische Version auf dem zentralen Computer) erschienen ist; der Inserent hört (gebührenpflichtig) ab und meldet sich bei Interesse.

# Worum geht es im Gespräch?

Bei jedem Kennenlernen, ob auf einer Party oder durch Kontaktanzeigen, geht es um zwei große Fragen: Passen wir von unseren Vorstellungen zueinander? Und: Sind wir uns sympathisch? Nur wenn beide Gesprächspartner diese Fragen schon am Telefon mit Ja beantworten können, sollten sie sich verabreden.

Zuerst interessiert die Frage: **Was spricht gegen ein Treffen?** Dem Gespräch darf man diese negative Fragestellung aber keinesfalls anmerken!

Welche Voraussetzungen muß Ihr künftiger Partner mindestens erfüllen? Machen Sie eine Liste und sprechen Sie jede Position kurz an. Wenn Sie einen »SPIEGEL-Leser« wünschen, aber nicht unter »Stern-Leser« gehen wollen, bringt die Verabredung mit einem »Bunte-Leser« nichts.

Welche Mindestanforderungen stellt man an Sie? Fragen Sie: »Was wünschst du dir von deinem nächsten Partner?« Und: »Was käme für dich gar nicht in Frage?« Sagen Sie ganz offen, wenn Sie bestimmte Voraussetzungen nicht mitbringen.

Schämen Sie sich nicht für Ihre Ansprüche, auch wenn Ihr Gesprächspartner beleidigt ist oder Ihnen erklären will, daß es doch »auf solche Kleinigkeiten/Äußerlichkeiten nicht ankommen darf«.

Beenden Sie das Gespräch, wenn genug gegen ein Treffen spricht.

Konnten Sie nach 5 – 10 Minuten ein Zusammenpassen nicht ausschließen? Erst dann sollten Sie herauszufinden versuchen: **Gibt es Gemeinsamkeiten?**

Versuchen Sie jetzt, so schnell wie möglich gemeinsame Interessen, Vorlieben und Einstellungen zu finden. Halten Sie sich nicht mit der Auflistung von trennenden Faktoren auf, wenn Sie einander schon gut finden.

Die andere große Frage hat sich inzwischen von allein beantwortet: **Sind wir uns sympathisch – haben wir einen Draht zueinander?**

Die Stimme, die Sprachmelodie, die Art des Denkens und die Ausdrucksweise sind entscheidend wichtig. Um all dies zu beurteilen, plaudern Sie am besten über etwas Banales, dann sind Sie beide lockerer als bei »anstrengenden« Debatten über die großen Fragen des Lebens und der Liebe.

Ist Ihnen Ihr Gesprächspartner sympathisch? Sind Sie es ihm auch? Haben Sie spontan das Gefühl, sich schon seit längerem zu kennen? Oder schleppt sich das Gespräch müde, mit langen Pausen und themenarm dahin?

# Dauertelefonate sind überflüssig

Jeder, der drei oder vier Blind Dates absolviert hat, sagt: »Man quatscht sich total leicht fest. Nach ein oder zwei Stunden am Telefon weiß man fast alles über den anderen und macht sich die tollsten Vorstellungen. Mit Euphorie und großen Erwartungen verabredet man sich. Beim Treffen bricht nach wenigen Sekunden alles zusammen: Am Telefon hattest du dich fast schon ›verliebt‹ – auf den ersten Blick aber ist sofort klar, daß nie was laufen wird. Und jetzt soll man sich durch das Treffen quälen.«

Ihre Telefonate sollten so kurz wie möglich bleiben – man kann innerhalb von zehn Minuten herausfinden, ob man jemanden treffen will (ein realistisches Ziel sind 30 Minuten Gesprächsdauer). Treffen Sie sich lieber mit mehr Gesprächspartnern, die Sie nach einem kurzen Gespräch sympathisch finden, als Stunden mit einer Person am Telefon zu verbringen. Dauertelefonate enstehen immer dann, wenn man ein »gemeinsames Thema« gefunden hat. Heben Sie sich derartige Gespräche für das erste Treffen (und Ihre hoffentlich lange, glückliche Beziehung) auf. Am Telefon wollen Sie nur kurz abklopfen, ob Sie sich füreinander interessieren. Sobald Sie eine Gemeinsamkeit gefunden haben, sollten Sie das nächste Thema anschneiden!

# Gesprächsführung

Wenn Sie die **Gesprächsinitiative** übernehmen, können Sie Ihre Themen ohne lange Umwege ansteuern. Ihr Gesprächspartner darf sich aber keinesfalls überrollt oder verhört fühlen. Die Mehrzahl der Männer tendiert beim ersten Telefonat dazu, unmittelbare Informationen austauschen zu wollen – Männer lieben Kataloge. Die meisten Frauen wollen plaudern, weil sie sich vor allem für »Sympathie« interessieren. Die optimale Gesprächsführung verschmilzt beide Bedürfnisse.

Ihr Gesprächspartner möchte möglichst viel über Sie erfahren, Sie möglichst viel über ihn. Daher ist (gerade das telefonische) Kennenlernen in der Kontaktszene vor allem ein abwechselndes Frage-und-Antwort-Spiel, das der **Selbstdarstellung und dem Informationsbedürfnis** gleichermaßen dienen soll.

Besonders angenehm wird folgender Gesprächsverlauf empfunden:

1. Sie stellen eine Frage: »Wie findest du Beethoven?«

2. Ihr Gesprächspartner antwortet: »Ich liebe die Klaviersonaten.«

3. Sie akzeptieren die Aussage: »Du hast einen erlesenen Geschmack.« Dann machen Sie eine eigene Aussage zum (General)Thema: »Ich liebe Beethoven, aber ab und zu (diese Einschränkung ist nötig, weil Sie gleich etwas Kontroverses äußern) höre ich auch gern Stockhausen/Motown-Soul.«

4. Sie lassen Ihrem Gegenüber Zeit zu einer Entgegnung oder zum Nachfragen. Nutzt der andere die Gelegenheit nicht, fragen Sie in der thematischen Nähe der letzten Aussage Ihres Gesprächspartners: »Kannst du selbst ein bißchen Klavier spielen?« (Einstieg ins Thema Hobby). Oder »Hattest du im Elternhaus ein Klavier?«(Einstieg ins Thema kulturelles Niveau der Familie, die Jugend etc.) »Magst du außer Beethoven auch Popmusik?« (Gespräch bleibt beim Thema Musikgeschmack und kann in drei Zügen zum Thema Szenezugehörigkeit, Ausgehen, Kleidung entwickelt werden.)

Eine aufdringliche Selbstdarstellung kann man leicht vermeiden: Erkundigen Sie sich, was Ihr Gesprächspartner über Sie wissen will, beantworten Sie seine Fragen. Ganz nebenbei lassen Sie die positiven Informationen über sich einfließen, die Sie unbedingt loswerden wollen. Lassen Sie sich nicht beim Angeben erwischen.

Knüpfen Sie mit Ihren Fragen immer an das an, was Ihr Gesprächspartner oder Sie zuletzt gesagt haben. So vermeiden Sie den Eindruck von »Ausfragen« oder »Verhör«. Wenn Ihr Gesprächspartner Ihnen eine Antwort gegeben hat und diese nicht mit einer Frage an Sie abschließt, können Sie weiterfragen.

Wer fragt, interessiert sich für den anderen – das macht ihn sympathisch. Sie bekommen die gewünschten Informationen und teilen durch die Auswahl Ihrer Fragen mit, worauf es Ihnen bei der Partnerwahl ankommt. Große Monologe und Vorträge langweilen, wirken eitel und führen zu Mißverständnissen. Beschränken Sie sich in der Selbstdarstellung auf das Nötigste.

## Welche Fragen soll man stellen?

Sie brauchen höchstens 15 Minuten, um zu wissen, ob Ihnen jemand garantiert nicht gefällt. In dieser Zeit können Sie je nach Geschick nur 10 – 40 Fragen stellen oder Themen ansprechen. Sie müssen sich also genau überlegen, was Sie in dieser Zeit unbedingt herausfinden wollen, weil es Ihnen für Ihre Partnerwahl besonders wichtig ist.

Sehen Sie sich den langen Katalog mit Themen und Fragen in der Mitte dieses Kapitels (ab S. 79) an und notieren Sie sich Ihre wichtigsten Fragen.

Bauen Sie diese Fragen in den natürlichen Fluß des Gespräches ein. Die Kunst besteht darin, durch eine kurze Überleitung »natürlich« von einer Frage zur nächsten zu kommen. Sie dürfen niemals schematisch klingen.

## Lindern Sie das Lampenfieber Ihres Gesprächspartners

Ein besonders spröder Gesprächspartner könnte wirklich so langweilig und verstockt sein, wie er klingt. Vielleicht liegt es aber auch an der Streßsituation: erstes Mal auf Kontaktanzeige geantwortet, nicht auf das Gespräch vorbereitet etc. Wollen Sie einer unsicheren, schüchternen oder verstockten Person eine Chance geben, müssen Sie ihr Lampenfieber lindern:

Stellen Sie eine einfache und nicht sehr wichtige Frage und begleiten Sie die Antwort mit ermunternden Lauten oder Einwürfen der Zustimmung: »Ah ja«, »ja«, »toll«, »echt?«, »super«, »verstehe« etc. Erzählen Sie Ihrem Anrufer eine belanglose Begebenheit, die sich kürzlich ereignet hat und nichts mit Kontaktanzeigen oder Partnersuche zu tun hat. Ihr Zuhörer kann sich auf Ihre Stimme, Ihr Sprechniveau und Ihre vertrauenserweckende Offenheit einstellen. Stellen Sie harmlose Fragen wie »Was hast du heute gemacht?«, »Was ist in dieser Woche los gewesen?« Wenn man Ihnen von Personen erzählt, lassen Sie sich deren Namen nennen. Bauen Sie diese in Ihre Rückfragen ein. So erzeugen Sie das Gefühl, man habe schon seit Jahren einen gemeinsamen Bekanntenkreis.

# Die Fragetechnik der Profis

Vor allem: Fragen Sie! Hören Sie den Antworten Ihres Anrufers aufmerksam zu – und dann fragen Sie weiter. Wenn Sie selbst gefragt werden, antworten Sie. Schließen Sie Ihre Antwort mit einer Frage ab.
Fragen, die mit einem »W-Wort« anfangen (warum, wie, worüber, was etc.), können nicht einsilbig mit ja oder nein beantwortet werden. Dieser offene Fragetyp gibt Ihrem Anrufer die Gelegenheit, ausführlich über sich zu sprechen. Sie erfahren viel, und Ihr Gesprächspartner fühlt sich nie abgefragt.
Geschlossene Fragen beginnen mit einem Verb (»Hast du..., möchtest du..., glaubst du...?«) und können mit ja oder nein beantwortet werden. Wendet man diese Fragen-Art falsch an, kann sich der Gefragte in die Enge getrieben fühlen.
Gegenfragen und ausweichende Antworten präsentiert Ihnen Ihr Anrufer, wenn ihm keine präzise Antwort einfällt, z.B. weil er vorher noch nie über das Gefragte nachgedacht hat. Oft will sich Ihr Anrufer seine Chancen bei Ihnen nicht durch eine zu konkrete Antwort verscherzen. In diesem Fall verrät er sich durch Rückfragen wie: »Bevor ich dir antworte, möchte ich wissen, wie du diese Frage beantworten würdest?« Oder: »Warum willst du das alles wissen?« Antwort: »Weil ich dich gern kennenlernen und verstehen möchte.«
Die häufigsten ausweichenden Antworten sind: »Kommt ganz darauf an.« Und: »Das kann man nicht pauschal sagen.« Und: »Du mußt wohl alles immer in Schubladen stecken.«
Heikle Themen erfordern vorsichtige Fragen. Mit »Könntest du dir vorstellen, unter ganz speziellen Umständen...?« tasten Sie sich langsam vor, bis Sie erahnen, welche Einstellung der andere zu dem betreffenden Komplex hat – kategorische Ablehnung, unverhohlene Begeisterung, Neugier oder »Verhandlungsbereitschaft«? Fragen Sie dann noch: »Hast du in dieser Richtung schon Erfahrungen gemacht?«, so bekommen Sie heraus, ob Ihr Gesprächspartner offen und unbedarft, alter Hase oder gebranntes Kind ist.

# Auskunftsbereitschaft steigern – der telefonische Röntgenblick

Jeder Anrufer will Ihnen gefallen. Er wird seine »Mängel« nicht freiwillig zugeben. Statt ihn zu verhören, können Sie ihm durch positive Bestätigungen die Zunge lockern, sobald er sich getraut, eine Schwäche »testweise« zuzugeben.

Alex: »Ich bin 165 groß und wiege 80 Kilo.«

Conny: »Toll, du bist also wunderbar weich und kuschelig.«

Alex: »Ich bin Sozialhilfeempfänger.«

Conny: »Toll, dann hast du ja viel Zeit für deine eigenen Interessen und den Partner.«

Alex: »Sex funktioniert nur im Dunkeln.«

Conny: »Toll, da wird man nicht so durch visuelle Reize abgelenkt.«

Alex: »Ich lese die Bild-Zeitung.«

Conny: »Toll, wo so viele Menschen nur noch das Fernsehen kennen.«

Schon bald wird dieser Gesprächspartner sicher sein, daß er sich nun auch leisten kann, seine gravierendsten »Mängel« preiszugeben.

Jeder Übergewichtige ist trotz aller Nettigkeit und »Persönlichkeit« schon vielfach als Partner abgelehnt worden. Im Normalfall wird eine mollige Person am Telefon einen möglichst schlanken Eindruck erwecken wollen (»Ich habe keine Waage, aber ich bin nicht übermäßig dick.«). Glaubt Ihr molliger Gesprächspartner, daß Sie Mollige gut finden bis bevorzugen (»Schlanke und Fotomodelle mögen ja ganz nett anzuschauen sein. Aber die meisten sind zickig, während die runden, weichen Menschen viel netter, genußfähiger, liebenswerter sind...«), wird er begeistert mit der vollen Wahrheit (plötzlich auch in Kilo) herausrücken. Schade, wenn Sie dann sagen müssen: »Leider suche ich einen Hungerkünstler mit den Charaktereigenschaften der Dicken.« Andererseits: Sie als Bohnenstangen-Fan haben sich und Ihrem molligen Gesprächspartner viel Zeit und Frust erspart.

## Falscher Fragestil

Sie fragen: »Willst du zusammenwohnen oder getrennte Wohnungen behalten oder eine Probezeit mit gegenseitigen Besuchen einrichten und dann entscheiden und wenn ja, wann?« Ihr Gesprächspartner wird Sie kalt und bevormundend finden, wenn Sie von ihm nur verlangen »Zutreffendes bitte ankreuzen, Mehrfachnennungen möglich.«

Wenn man Sie säuerlich fragt: »Hakst du da eigentlich eine Liste ab?«, haben Sie ebenfalls etwas falsch gemacht. Natürlich haben Sie sich mit Stichpunkten auf das Gespräch vorbereitet und ein paar Fragen aufgeschrieben – aber es darf sich nicht so anhören. Sie müssen zwischen den einzelnen The-

men und Fragen »natürliche« Überleitungen finden, damit sich Ihr »Frage-
bogen« so »spontan« anhört, wie man es von Ihnen verlangt.
Sie fragen: »Du liebst also Literatur?« Ja. »Kennst du Noteboom?« Nein.
»Hermann Kant?« Nein. »Kerouac?« Nein. Sobald Ihre Art zu fragen nach
**Abfragen** in der Schule klingt, findet man Sie unsympathisch.
Wenn Sie dann auch noch die Antworten Ihres Gesprächspartners **negativ
kommentieren**, werden Sie zum Feind. »Kerouac kennt aber jeder.« Und:
»Noteboom ist aber ein Bestseller.« Und: »Hermann Kant ist zwar Allge-
meinwissen, aber nicht mit Immanuel verwandt.« Und: »Isabel Allende
kennst du wenigstens. Naja, wenn du geschwätzige Trivialliteratur gut findest…« Loben ist erlaubt, aber Schulmeisterei und Besserwissen sollten Sie
sich für das Blind Date aufsparen – genauso wie Diskussion und Kritik.
Ebenfalls unbeliebt macht man sich mit **Schubladendenken.** »Ich trage
Birkenstock-Sandalen, habe lange Haare, ein Stirnband und einen Bart,
stricke meine Pullover selbst, lehne Autofahren ab, habe Sozialpädagogik
studiert, wohne in einer WG, meditiere, kiffe und höre den ganzen Tag Bob
Dylan«, sagt Ihr Gesprächspartner. Darauf erwidern Sie: »Du bist also ein
Hippie-Typ.« Er (beleidigt): »Nein.« Sie: »Eher ein Öko?« Er (beleidigter):
»Nein.« Sie: »Ein Alternativer?« Er: »Ich passe in keine Schublade.«

# Wie man heikle Themen anspricht

Vor allem Anfänger(innen!) und mit äußerlichen Makeln behaftete Personen
reagieren provoziert und beleidigt, wenn man sie nach ihren unveränderli-
chen äußerlichen Merkmalen fragt. Sie hassen die Vorstellung, daß man sie
im Rahmen einer »Fleischbeschau« wegen einer Erblast ablehnt oder nur
wegen der Figur attraktiv findet. Sie wollen um ihrer Persönlichkeit willen
geliebt werden.
Auch **Statusfragen** nach Beruf, Gesellschaftsschicht, Geld werden gehaßt –
aus Angst vor Ablehnung. Man weiß ja, daß gleich und gleich sich gern ge-
sellen. Man fürchtet, zu arm, erfolglos oder niederrangig zu sein. Oder man
fürchtet, der andere wolle durch die neue Liebe den eigenen sozialen Auf-
stieg erreichen, einen also ausnutzen.
Bevor man einen Gesprächspartner ohne Nachteile zum heiklen Bereich der
»Äußerlichkeiten« befragen kann, sollte man ihn erst mal ihre Bedeutung
erkennen lassen. Da sich besonders Frauen gegen diese Themen sträuben,
hier ein entsprechendes Beispiel – das mit umgekehrten Rollen ebenfalls verbreitet ist (vor allem, wenn selbstsichere und am Telefon attraktiv wirkende
Frauen bei Männern deren beruflichen und wirtschaftlichen Erfolg erfragen).
    Mann: »Welcher Typ Frau bist du?«

Frau: »Das ist doch egal.«
Mann: »Bevorzugst du einen bestimmten **Männertyp?**«
Frau: »Nein, ich bin offen für alle Typen.«
Mann: »Könntest du mit einem Mann zusammensein, der so nett ist wie dein letzter Freund und so aussieht wie Arnold Schwarzenegger?«
Frau: »Ja.«
Mann: »Und wenn er vom Typ her so aussähe wie Michael J. Fox?«
Frau: »Meinetwegen.«
Mann: »Oder wie Klaus Kinkel?«
Frau: »Oh Gott!«
Mann: »Oder wie Karl Dall?«

Ein ähnlicher Dialog kann auch zu den Themen Bildung, Mode, Berufsgruppen, Einkommen etc. geführt werden.
Wenn Sie zuerst sich selbst beschreiben, bekommt der andere einen Eindruck davon, wie man das macht. Entweder lassen Sie den anderen nach jeder Ihrer Aussagen etwas zu sich selbst sagen, oder Sie tragen Ihre Selbstdarstellung als kleinen Monolog vor, und dann ist er dran.

# Unangenehme Fragen

Auf **mißtrauische Rückfragen** reagiert der gutmütige und naive Anrufer (besonders der Anfänger) beleidigt, weil er sich grundlos verdächtigt fühlt. Er hat kein Verständnis für Ihre gesunde Skepsis, weil er noch keine schlechten Erfahrungen mit unmöglichen Blind Dates hinter sich hat. Bitten Sie daher immer um Verzeihung, wenn Sie nachhaken!
Mit **Provokationen oder Fangfragen** drängen Sie Ihren Gesprächspartner in die Ecke. Frauen reagieren wesentlich empfindlicher als Männer auf derartiges Verhalten. Verwenden Sie diese Fragen nur, wenn Ihr Gesprächspartner sich als sehr selbstbewußt und schlagfertig dargestellt hat.

### Wie »persönlich« dürfen Fragen sein?

»Profis« sprechen offener über sich und wirken im Gespräch unverkrampfter. Wer ein paar enttäuschende Verabredungen hinter sich hat, weiß, wie wichtig gerade die besonders »persönlichen« Fragen sind.

Conny: »Darf ich dir auch persönliche Fragen stellen?«
Alex: »Ja, klar.«
Conny: (PERSÖNLICHE FRAGE)
Alex: »Das ist aber eine sehr persönliche Frage.«

Conny: »Das tut mir leid.«

Alex: »Wir kennen uns doch gar nicht.«

Conny: »Deswegen habe ich dir ja diese Frage gestellt. Ich möchte dich gern kennenlernen und verstehen.«

Alex: »Aber sowas kann man doch nicht am Telefon besprechen.«

Akzeptieren Sie diesen Standpunkt, so verströmen Sie wohltuendes Verständnis. Im Verlauf des Gespräches sollten Sie aber besonders darauf achten, ob sich Ihr Gesprächspartner nicht nur aus taktischen Gründen in vornehm zurückhaltendes Schweigen hüllt – um mysteriös zu wirken und Ihre Neugier zu erhalten. »Ich kann dir nicht gleich alles über mich verraten. Das sollst du doch selbst herausfinden.«

## Ausweichende Antworten

Auf jede Frage kann man mit intelligenten Gegenfragen antworten und dadurch Zeit zum Überlegen gewinnen.

»Eine interessante Frage. Wie kommst du darauf?«

Wenn einem gar nichts einfällt, kann man rückfragen:

»Wie meinst du das?«

Zu den besonders häufigen, aber aggressiven und dummen Rückfragen zählen folgende:

»Ist das so wichtig?«

»Warum willst du das wissen?«

Vermeiden Sie die **Wiederholung einer Frage**. Sie wirkt immer dümmlich und verlegen, vor allem wenn die Frage unmißverständlich formuliert war.

Conny: »Hörst du gern Radio?«

Alex: »Ob ich gern Radio höre?«

Conny: »Ja.«

Alex: »Ja, also ob ich gern Radio höre. Naja. Ich... also... naja, kommt ganz darauf an.«

Conny: »Worauf?«

Alex: »Worauf es ankommt?«

Conny: »Ja.«

Alex: »Ja, also beim Radiohören, da kommt es ganz darauf an, wie ich gerade Lust habe.«

Das Gespräch mit einer solchen Schlaftablette bricht jeder Mensch ab, der nicht ebenfalls eine Schlaftablette ist.

**Provokante Fragen** sollen Sie aus der Reserve locken. Antworten Sie nun grundsätzlich mit einer intelligenten Gegenfrage, um das Motiv für die Provokation zu ergründen.

Natürlich gibt es auch **eindeutig dumme Fragen**. Auch von denen profitieren Sie, weil Sie bald bemerken, daß Ihr Gesprächspartner Ihnen zu dumm ist.

# Der Ablauf des Gespräches

Die folgenden Vorschläge und Tips zur Gesprächsführung sind nur Bausteine, aus denen Sie ein paar auswählen können, um daraus Ihr erstes Telefonat zusammenzusetzen.

## Notizzettel!

Machen Sie sich während des Gespräches stichwortartige Aufzeichnungen zu Aussehen, Biografie und Ihrem subjektiven Eindruck von der Persönlichkeit Ihres Gesprächspartners. Diese Notizen sollten Sie vor einem Blind Date erneut durchlesen. Man kommt sonst mit den diversen Kontakten leicht durcheinander, wodurch man wahllos und oberflächlich wirkt.

## Einstieg und Lockerung

Einige der folgenden Hinweise verlieren selbstverständlich an Bedeutung, wenn dem ersten Telefonat ein Brief vorangegangen ist, der die eine oder andere Frage von vornherein klären konnte.

### Begrüßung

Melden Sie sich so sympathisch wie möglich. Es wirkt angenehmer und weniger förmlich, wenn Sie nur Ihren Vornamen nennen.
Freuen Sie sich über den Anruf und loben Sie Ihren Gesprächspartner (vor allem Frauen, die sich auf eine Annonce mit Telefonnummer melden).
Conny: »Toll, daß du dich getraut hast, mich anzurufen.«
Lassen Sie sich den Namen des Anrufers nennen und erwähnen Sie ihn immer wieder. Das schafft das Gefühl der Vertrautheit.
Conny: »Wir können uns doch duzen, oder?«
Wenn Sie selbst der Anrufer (oder Rückrufer) sind, fragen Sie:
Conny: »Kannst du dich jetzt ungestört mit mir unterhalten?«
Wenn Ihr Gesprächspartner nicht allein ist oder keine Zeit hat, verabreden Sie einen festen Termin für ein entspanntes Telefonat.

# Plaudern Sie ein wenig!

Wenn Ihr Anrufer sehr nervös ist, erzählen Sie ihm kurz und im vertraulichsten Ton der Welt, was Sie heute schon alles getan oder erlebt haben. Vermeiden Sie jede Angeberei, und sprechen Sie nicht negativ über Dritte.

Während des Zuhörens gewöhnt sich Ihr Anrufer an Ihre Stimme und entspannt sich etwas.

Wenn Sie von Anfang an eine dominante Rolle spielen wollen, können Sie fragen:

> Conny: »Bist du eigentlich **auch** ein bißchen aufgeregt?«

Dann wird man Ihnen z.B. erzählen, daß dies der erste Versuch ist, den inneren Kampf und die aktuellen Gefühle schildern etc.

Sie tragen viel zur Entspannung des Gespräches bei, wenn Sie schon an dieser Stelle ein paar – selbstverständliche – Gemeinsamkeiten einflechten:

> Conny: »Es ist doch toll, daß man sich so unkompliziert durch Kontaktanzeigen kennenlernen kann.«
> »Ich bin gespannt, was wir uns zu sagen haben.«
> »Fändest du es schlimm, wenn wir uns am Ende doch nicht verabreden würden?«

## Einführung von Zeitdruck

> Conny: »Toll, daß du anrufst. Wir können uns aber leider nur höchstens 20 Minuten unterhalten. Ich habe eine Verabredung zum Kino und muß mich noch umziehen.«

## »Was hat dich an meiner Annonce angesprochen?«

Nur bei sehr konkret formulierten Annoncen bekommt man hier eine Antwort, die über ein »Mir hat dein Stil irgendwie gefallen« hinausgeht. Meist lohnt es sich nicht, das Thema zu vertiefen.

## »Erfüllst du meine Anforderungen?«

Wer in seiner Annonce nach einem »Motorradfahrer« sucht, bekommt viele Anfragen von Leuten ohne Führerschein oder Maschine. Zur Sicherheit sollte man kurz fragen:

> Conny: »Hast du dir die Annonce genau angesehen?«

»Findest du meine Wünsche überzogen?«
»Welche meiner Wünsche könntest du nicht erfüllen?«

## »Warum antwortest du überhaupt auf eine Annonce?«

Es gibt (nur bei Kontaktanzeigen mit Telefonnummer!) Anrufer, die sich nicht gleich getrauen, sich zu ihrem Interesse an einer Verabredung zu bekennen. Sie behaupten, aus Neugier oder Langeweile angerufen zu haben:

Alex: »Ich fand deine Anzeige total witzig und wollte wissen, wer sich dahinter verbirgt.«

Sie sollten sofort klare Verhältnisse schaffen:

Conny: »Könntest du dir vorstellen, dich unter Umständen mit jemandem über eine Annonce zu verabreden?«

Alex: »Unter Umständen vielleicht schon.«

Conny: »Unter welchen Umständen würdest du dich verabreden?«

Kann man Ihnen diese Frage nicht beantworten, will man offensichtlich nur die Zeit totschlagen. Dann können Sie das Gespräch sofort beenden – Sie sind weder Pausenclown noch Telefonseelsorger.

Conny: »Du kannst ja später noch mal anrufen. Ich habe im Augenblick keine Zeit.«

## »Bist du Single?«

Die Frage mag überflüssig klingen, ist es aber nicht: Viele Frauen haben sich schon mit Männern getroffen und sie sympathisch gefunden, hatten aber leider vergessen, vorher nach dem Familienstand des Herrn zu fragen.

Conny: »Steckst du gerade in einer Beziehung?«

Alex: »Nein.«

Conny: »Seit wann bist du Single? Macht dir das Single-Leben Spaß, und wann leidest du darunter?«

An dieser Stelle können Sie – mit Fingerspitzengefühl – über die **vergangenen Beziehungen** des Anrufers sprechen. Über Ihre eigenen Ex-Partner reden Sie nur, wenn man Sie fragt.

Es hat sich oft bewährt, schon an dieser Stelle des Gespräches abzuklopfen, ob Ihr Gesprächspartner vielleicht »rückfällig« werden könnte, weil der Ex-Partner noch im Gespräch ist – »man sich aber verbessern will«.

## Anrufer, die nicht Singles sind

Conny: »Suchst du ein heimliches Verhältnis? Möchtest du einen kleinen Seitensprung wagen? Willst du deinen Partner verlassen? Willst du

deinen Partner nur eifersüchtig machen?«
Alex: »Keines davon.«
Conny: »Auch nicht vielleicht?«

Conny: »Könntest du dir vorstellen, in der nächsten Zeit eine Beziehung einzugehen?«

## Die Lebensverhältnisse des Anrufers

Conny: »Lebst du allein?«
»Hast du Kinder?«
»Wie ist das Verhältnis zu deinem Ex-Partner?«

## »Hast du Erfahrungen mit Kontaktanzeigen?«

Wenn dies der erste Versuch des Anrufers ist, werden Sie ihn ganz sicher davon überzeugen müssen, daß man eine gegenseitige Frageliste vor allem zu »Äußerlichkeiten« abzuhaken hat.
Conny: »Kennst du den unangenehmsten/häufigsten Satz bei Blind Dates? Er heißt: ›Ich habe mir dich ganz anders vorgestellt.‹ Wollen wir das verhindern?«
Sie dürfen auch sagen:
Conny: »Ich habe erst eine Verabredung hinter mir. Es war ein Schock. Am Telefon hatten wir uns gut unterhalten, aber vergessen, uns über das zu unterhalten, was man bei einer Partybekanntschaft auf fünf Meter im Halbdunkel nach zwei Sekunden erkennt.«
Beim Gespräch mit einem Anfänger sollten Sie die Gesprächsführung übernehmen und erwähnen, daß es allgemein übliche »Spielregeln« des Kontaktens gibt. Erscheinen Sie aber nicht zu erfahren – das riecht nach Treffen am Fließband.
Conny: »Ich habe mich erst zweimal getroffen, und beim zweiten Mal geriet ich ich an einen Profi. Daher kenne ich die Spielregeln…«
Das Telefonat mit erfahrenen Blind Datern ist einfacher, da sie sich garantiert schon mehrfach mit Enttäuschungen getroffen haben und wissen, wie wichtig es ist, vorher möglichst schnell und telefonisch abzuklären, ob man grundsätzlich nicht füreinander in Frage kommt.

## Einstellung zu Kontaktanzeigen – »Hast du das nötig?«

Die Frage nach den Gründen für die »Einsamkeit« des Anrufers sollte man nicht direkt stellen. Besser als die provozierende (Anfänger)Frage »Hast du das nötig?« wirkt:

Conny: »Wir sind uns bestimmt einig, daß alle Menschen gerne neue Leute kennenlernen. Nur sind die meisten zu feige, auch mal neue Wege zu beschreiten.«

»Ich möchte über Kontaktanzeigen neue Leute kennenlernen, mich gut unterhalten, und vielleicht wird mehr draus. Geht dir das auch so?«

Viele Anrufer betonen von allein: »Ich habe das eigentlich nicht nötig.« oder »So was mache ich normalerweise nicht.« Die objektive Attraktivität läßt sich aber an dieser Stelle nicht messen.

### Wahllosigkeit überprüfen?

Sehr häufig erkundigen sich beide Seiten (Männer noch häufiger als Frauen), wieviele »konkurrierende« Kontaktversuche unternommen worden sind. Inserenten wollen wissen, wieviele andere Annoncen der Anrufer bzw. Briefeschreiber ebenfalls interessant fand bzw. beantwortet hat und warum. Umgekehrt wird man als Inserent immer gefragt, wieviele Briefe man bekommen und wieviele Telefonate man geführt hat. Beide Seiten interessieren sich für die Anzahl und den Verlauf der bisherigen Blind Dates.

Derartige Fragen lösen meist defensive Reaktionen aus, es sei denn, beide sind »erfahren«. In den meisten Fällen verzichtet man besser auf diese Fragen. Wie wahllos Ihr Gesprächspartner ist, können Sie auch ohne sie an den Zwischentönen des Gespräches heraushören.

# Sind unsere Interessen unvereinbar?
# – Die Suche nach Trennungsgründen

Anfänger suchen am Telefon immer nur nach Gemeinsamkeiten. Sie plaudern eine Stunde lang und haben sich schon fast ein bißchen ineinander verliebt – dann erst kommen sie in ihrem Dauertelefonat auf die Punkte, die eine gemeinsame Perspektive unmöglich machen: Da möchte jemand keinesfalls Kinder haben – der andere aber doch; da wünscht sich eine Frau einen großen, sportlichen Mann – der nette Bursche am anderen Ende ist aber einen Kopf kleiner als Sie und doppelt so schwer; und auch den grünalternativen Fundi hört man nicht heraus, wenn man sich nur kurz über seinen Job (Zahnarzt) und lange über den gemeinsamen Musikgeschmack (Reggae) unterhält, obwohl man praktizierende Katholikin und aktives Junge-Union-Mitglied ist.

Erst wenn feststeht, daß es keine gravierenden Vorbehalte gibt, sollten Sie sich auf die Suche nach Gemeinsamkeiten machen. Sie interessieren sich also zuerst nur für das Trennende – was Ihnen Ihr Gesprächspartner aber nicht anmerken darf.

## Die Wünsche des Anrufers

Die peinliche Frage »**Wie sieht dein Traumpartner aus?**« können Sie sich getrost schenken. Alle beschreiben Ihnen dieselbe Idealperson – ein Klischee aus Märchenfilmen: »Gutaussehend, verständnisvoll, ehrlich, humorvoll, intelligent« und endlos so weiter. Mit der Frage: »Wie unterscheidet sich dein Traumpartner vom Idealtyp-Klischee« überfordern Sie Ihre Gesprächspartner.
Der ideale Partner ist immer eine Person, die einem selbst möglichst ähnlich ist: ähnliche (Lebens)Einstellungen, ähnliche Sprache, ähnliches Denken, ähnliche Interessen, ähnlicher Geschmack, ähnliche »Szene«, ähnliche Sexualität, ähnliche Attraktivität etc. – wenn auch viele Männer von Frauen träumen, die viel hübscher sind als sie, dafür aber weniger intelligent.
Mit der Frage: »**Was gefällt dir an dir selbst?**« können Sie viel über das erfahren, was man auch an Ihnen schätzen würde.
Von entscheidender Bedeutung ist folgende Frage: »**Worauf kommt es dir am meisten an?**« Manche legen sehr viel Wert auf Aussehen, andere mehr auf Bildung, Kinderliebe, gemeinsame Hobbys, Häuslichkeit, Bildung etc. Es wäre sehr hilfreich zu wissen, wie Ihr Gesprächspartner seine Prioritäten verteilt.
Welche **Mindestanforderungen und festen Vorstellungen** des Anrufers müssen Sie erfüllen? Wird ein bestimmtes Aussehen (nicht nur gewünscht, sondern) verlangt? Müssen bestimmte Interessen oder eine Mindestbildung mitgebracht werden? Besteht man auf Nichtrauchen, der Perspektive der Familiengründung, getrennten Wohnungen? Bieten Sie Ihrem Gesprächspartner mögliche Themen/Kriterien zur Auswahl an.
    Conny: »Was müßte man mindestens mitbringen, um eine Chance bei dir zu haben?«
»Was könntest du keinesfalls tolerieren?«

## Ihre eigenen Anforderungen

Ihr Gesprächspartner wird sich etwas unwohl fühlen, wenn Sie Ihre Anforderungen nennen. Wenn Sie am Anfang des Gespräches ganz kurz herausfinden wollen, ob Ihr Gesprächspartner die wenigen für Sie – »leider« – unabdingbaren Voraussetzungen erfüllt, müssen Ihre Fragen gut vorbereitet und sehr diplomatisch formuliert sein, um keine Trotzreaktionen (sondern eher einen gewissen Ehrgeiz) hervorzurufen.

> Conny: »Ich hatte eine unerwartet große Resonanz auf meine Annonce und habe ein paar recht interessante Gespräche geführt. Ich habe dabei gelernt, wichtige Fragen nicht zu spät zu stellen.«
>
> Alex: »Welche denn?«

Weil Sie aber niemandem die Zeit durch Telefonate oder Treffen stehlen wollen, mit dem und dessen Wünschen es kaum Gemeinsamkeiten gibt, möchten Sie ein paar Fragen gleich und unvermittelt am Anfang stellen dürfen – und nun reden Sie über Ihre Anforderungen (ohne je dieses häßliche Wort zu benutzen!).

## Wenn es keinen Sinn hat...

Sollte sich in den ersten paar Minuten herausstellen, daß es unvereinbare Unterschiede in den Ansprüchen und Auffassungen gibt, sollten Sie das Gespräch umgehend, aber diplomatisch beenden. Warum stundenlang telefonieren, wenn man sowieso nicht zusammenpaßt?

> Conny: »Ich passe nicht zu dir. Ich kann dir leider nicht bieten, was du mindestens brauchst.«
>
> Alex: »Warum denn nicht? Das kann man so schnell doch gar nicht sagen. Man ist doch flexibel. Vielleicht können wir verhandeln.«
>
> Conny: »Ich fühle mich überfordert. Das ist nicht meine Welt. Ich bin wesensmäßig ungeeignet.«
>
> Alex: »Genauer bitte.«
>
> Conny: »Nein, ich habe keine Lust, hier lang über meine Schwächen zu reden. Aber glaub mir, ich wäre nicht gut genug/geeignet für dich.«

Manche Profis leiten einen vorzeitigen Abschied mit folgendem Dialog ein:

> Conny: »Was könntest Du in deiner nächsten Beziehung auf keinen Fall ertragen?«

Genau das würde aber mit Ihnen als Partner passieren. Beispiel:

> Conny: »Legst du Wert auf Treue?«
>
> Alex: »Ja.«
>
> Conny:«Schade. Ich bin notorisch untreu.«

Weitere Methoden, ein Gespräch zu beenden, finden Sie unter »Kein Draht – was nun?« (ab S. 109).

# Die Suche nach Gemeinsam-
keiten/Katalog der Themen
und Fragen

Auf den nächsten 26 Seiten geht es ausführlich um die Themen, die beim
Kennenlernen mit einem potentiellen Partner besprochen werden. Ich habe
Ihnen besonders typische Beispieldialoge zusammengestellt, wie sie im Frage-und-Antwort-Spiel beim Kennenlernen regelmäßig vorkommen oder erfolgreich eingesetzt werden können.

Diese Fragen- und Dialog-Beispiele sind auf das erste Telefonat abgestimmt,
könnten aber mit entsprechenden Abwandlungen auch bei einem ersten
Treffen im Café und prinzipiell auch bei einem Briefwechsel ablaufen.

Meine Beispiele beziehen sich auf den schwierigsten denkbaren Fall: Eine
nicht besonders redselige Person ruft einen Inserenten an, der in der Annonce seine Telefonnummer angegeben hatte. Bis auf den kurzen Text der Kontaktanzeige wissen beide nichts voneinander. Viele Fragen entfallen in einem
ersten Telefonat von vornherein, wenn der Inserent mit seinem Anruf auf einen (hoffentlich informativen) Brief reagiert, den er auf seine Annonce erhalten hat.


Selbstverständlich will ich niemandem vorschlagen, sämtliche der genannten
Themen in dieser Ausführlichkeit und Intensität am Telefon, in Briefen oder
beim ersten Treffen zu erörtern. Jeder wählt individuell aus, welche Themen
er besonders wichtig findet und welche weniger.

Der Katalog soll vor allem der Inspiration dienen. Ein Gespräch muß sich
»natürlich« entwickeln, statt schematisch abzulaufen, sonst passen die beiden Gesprächspartner ohnehin nicht zueinander.

Andererseits bestätigen alle Anzeigenprofis, daß man Enttäuschungen nur
verhindern kann, wenn man sämtliche der folgenden Themengruppen wenigstens kurz angesprochen hat (und zwar so früh wie möglich):

    **gewünschte Beziehung** (inkl. Kinder und Ex-Beziehung), **Aussehen**
    (inkl. Typ, Auftreten und persönlicher Stil, Ausstrahlung), **Beruf** (inkl.
    Ausbildung), **Bildung** (inkl. kulturelle Interessen), **Geschmack, Um-**
    **gang** (inkl. Lifestyle, soziale Schicht, »Szene«), **Charakter, Humor** (in-
    kl. Qualitäten als Gesprächspartner), **Einstellungen, Sex.**

Es kann nämlich auch passieren, daß man am Telefon sofort »einen Draht«
zueinander hat, die »langweiligen« Fragen vergißt und dann beim Treffen

einen ernüchternden Schock erlebt – wenn die »tolle Stimme« 20 Jahre älter oder 20 Kilo schwerer ist als erwartet und sich obendrein in Kleidung am wohlsten fühlt, die man selbst für den Inbegriff von Geschmacklosigkeit hält.

Blättern Sie zu jedem der folgenden Themen in das Kapitel über »Texten und Verstehen« (ab S. 23). Dort wird die tatsächliche Bedeutung der schmeichelhaften Begriffe besprochen, die in Annoncen und auch am Telefon regelmäßig verwendet – und mißverstanden – werden.

# Gewünschte Beziehung

Die meisten wollen sich hier nicht festlegen. »Es kommt ganz drauf an, wie man sich versteht.« Oftmals will man sich nur keine Chancen verbauen, wenn man sich z.B. für seinen »spießigen« Wunsch nach Ehe und Familiengründung schämt.

### Feste oder lockere Beziehung?

Conny: »Möchtest du gern eine feste Beziehung?«
Alex: »Ja.«
Conny: »Warum?«

Conny: »Könntest du dir auch vorstellen, dich nicht ganz so fest zu binden – vorausgesetzt, beide sind einverstanden?«
Wenn für Sie selbst eine nicht so feste Beziehung interessant ist, sollten Sie sich ein wenig über deren mögliche Gestalt unterhalten. Vor allem heißt das: »›Stell dir vor, man sieht sich nur einmal in der Woche.« Oder: »Stell dir vor, du wirst nicht gefragt, was du seit dem letzten Treffen getrieben hast.« Oder: »Keine Kontrolle, keine Eifersucht, keine großartigen Ansprüche – wohl aber gewisse ›Spielregeln‹.«
Wenn beide Partner mehr oder weniger unabhängige Singles bleiben möchten, sollten sie sich darüber unterhalten, ob sie ein langfristiges Verhältnis oder eher eine kurze Affäre anstreben, wieviele Verpflichtungen sie einzugehen bereit sind, in welchem Umfang sie Treue verlangen oder »Fragen stellen« wollen und ob sie die lockere Beziehung praktisch als »Probezeit« für eine feste Beziehung sehen.
Viele Männer und Frauen, die bisher nur feste Beziehungen kannten, überschätzen – gerade nach einer frischen Trennung – ihren Wunsch nach »Unabhängigkeit« und ihre Fähigkeit, eine »lockere Beziehung« zu führen.

## Wie oft soll man sich sehen?

Es gibt immer mehr Menschen, die zwar eine feste Beziehung wollen, sich aber nicht täglich sehen möchten (oder können).

Conny: »Könntest du dir eine Beziehung vorstellen, in der du deinen Partner nur einmal pro Woche siehst, ohne darunter zu leiden?«

## Wo soll gewohnt werden?

Conny: »Würdest du deine eigene Wohnung auch dann noch halten wollen, wenn man schon fest zusammen ist?«

## Kinder

20 % der Männer, aber nur 11 % aller Frauen wollen keine Kinder.

Conny: »Hast du bereits Kinder? Wie alt sind sie, wo wohnen sie?«
»War die Frage der Kinder ein Streitthema in einer deiner letzten Beziehungen?«
»Willst du Kinder? Wann und unter welchen Umständen könntest du dir vorstellen, Kinder zu wollen? Würdest du auf Kinder verzichten, wenn dein Partner keine Kinder haben möchte?«

Wenn der Gesprächspartner keinen Kinderwunsch hat, sollten Sie (besonders bei kinderlosen Frauen) nachhaken.

Conny: »Wieso kannst du das heute schon so sicher sagen?«
(Frau fragt Mann) »Würdest du dich sterilisieren lassen?«

## Alleinerziehende

Conny: »Wer kümmert sich um dein Kind, wenn du unterwegs bist?«
Meistens geben sich Alleinerziehende der Illusion hin, sie könnten eine Beziehung führen (oder besser gesagt: starten), in der die Tatsache keine Rolle spielt, daß ein Kind vorhanden ist. Frauen versprechen immer wieder:
Alex: »Ich suche keinen Vater für mein Kind.«
Fragen Sie zurück:
Conny: »Könntest du dir vorstellen, daß dein nächster Partner auch nach ein paar Monaten so gut wie nichts mit deinem Kind zu tun haben wird?«
Alex: »Ja.«
Dieses »Ja« ist immer unrealistisch. Es sei denn, der/die Alleinerziehende sage defintiv:

Alex: »Ich suche eine Beziehung, in der ich mich vom Alltag erholen kann.«

Also einmal die Woche mit Übernachtung und ohne Kind? Die Gefahr, daß Ihr alleinerziehender Partner sich während der Zeit einer »lockeren« Beziehung an jemanden anderen bindet, ist gering. Die Gefahr, daß es zur Krise kommt, weil er/sie »mehr« von Ihnen will, ist hingegen sehr groß. Müßten Sie als »Lover« treu sein?


## Treue und Eifersucht

Conny: »Warst du schon mal eifersüchtig in einer Beziehung? Was war der Grund?«

Alex: »...« (Meist: »Ich bin betrogen worden.«)

Conny: »Hast du deinem Partner verziehen?«

Conny: »Bist du schon mal fremdgegangen? Und warum?«

Conny: »Unter welchen Umständen könntest du dir vorstellen, deinem Partner gewisse Freiheiten zu lassen?«

Conny: »Hast du schon mal deinen Partner kontrolliert? Und wie hast du das gemacht?«

Zur Auswahl stehen: Kontrollanrufe, Durchsuchung der Unterlagen, des Autos, Taschenkontrolle, Befragung von Bekannten etc.


## Frühere Erfahrungen und Beziehungsprobleme

Woran sind die letzten Beziehungen gescheitert? Was war das Schöne an ihnen?

Ex-Beziehungen sind ein wunderbares Gesprächsthema, von dem aus Sie in alle anderen Themen abzweigen und wieder zurückkehren können. Leider wollen sich manche Gesprächspartner (gerade die frisch getrennten) nicht über dieses »viel zu persönliche Thema« unterhalten.

Wenn Sie merken, wie jemand über seine Verflossenen spricht, erfahren Sie sehr viel über Einstellungen, Charakter, Kompromißbereitschaft, Wunschträume.


## Rollenverteilung

Fast alle modernen Männer und Frauen bevorzugen die Idee der Gleichberechtigung. Meist aber sind die Rollen in Beziehungen verteilt. Wer ist der initiative Typ, wer der Mitmacher? Oder wechseln sich beide Partner in ihren Rollen ab?

Conny: »Welche Aufgaben hast du in deinen Ex-Beziehungen übernommen? Wofür warst du zuständig, wofür dein Partner?«

»Hast du besondere Stärken, die du gern in die Beziehung einbringen würdest?«

»Hast du gern das letzte Wort?«

»Wünscht du dir einen initiativen Partner mit vielen Ideen und einem starken Willen?«

»Wie steht es mit Spülen, Bügeln, Putzen, Kochen etc.?«

# Aussehen

Um zu erklären, warum Sie über die unbeliebten »Äußerlichkeiten« reden wollen, sagen Sie:

Conny: »Ich muß mir die Person vorstellen können, mit der ich telefoniere.«

Siehe zu der üblichen schönenden Ausdrucksweise die Begriffserklärungen unter »Texten und Verstehen« (ab S. 23).

## Größe

Conny: »Wie groß bist du?«

Alex: »Sag mir erst mal, wie groß du bist.«

Vorsicht – Tendenz zum Flunkern. Überhaupt machen sich viele Männer größer. Aufrundende Frauen tragen beim Treffen Pumps.

## Alter

Conny: »Auf wie alt wirst du geschätzt?«

Wenn Sie dem Anrufer diese Frage zuerst stellen, werden Sie zunächst etwas über sein Selbstbild und wenig später auch sein tatsächliches Alter erfahren.

Alex: »Meist schätzt man mich so ungefähr auf 28.«

Conny: »Toll, mein Lieblingsalter.«

Conny: »Wie alt bist du?«

Alex: »Schätz mal.«

Ein solcher Anrufer könnte das Gefühl haben, sein Alter passe nicht in den von Ihnen gewünschten Rahmen.

# Gewicht

Jede Frage zu diesem besonders heiklen Thema wirkt unromantisch und nach »Fleischbeschau«.

Conny: »Wie schwer bist du?«

Alex: »Ich bin nicht dick.«

Doch!

Alex: »Weiß nicht, habe mich lange schon nicht mehr gewogen.«

Verdächtig. Man will evtl. Übergewicht verschweigen, ohne lügen zu müssen.

Alex: »Aber es ist gut verteilt.«

Im besten Fall Frau mit größerer Oberweite, größerem Po und einer Art Taille – meist aber schlichte Fehleinschätzung.

Alex: »Ich habe schwere Knochen.«

Außer bei Bleivergiftung heißt das: nicht unbedingt fett oder mollig, aber mindestens grober, kräftiger Körperbau, also das Gegenteil von zierlich.


# Statur/Figur

Um dieses Thema elegant zu meistern, sollten Sie ab S. 26 die übliche Ausdrucksweise nachlesen.

An sich kann man die Figur eines Menschen leicht beschreiben – jeder tut das, wenn er über andere lästert. Aber niemand sagt freiwillig, er sei kurzbeinig, habe hängende Schultern, laufe krumm, trage einen Rundrücken herum, sei birnenförmig gebaut (schmale Schultern, breite Hüften).

Fragen Sie nach **Konfektionsgrößen.** Männer wissen ihre allerdings selten. Wer Frauen nach den **Maßen** (Brust, Taille, Hüfte) fragt, wird aber als Sexist gesehen.


# Besondere äußere Merkmale

Niemand wird Ihnen auf die Frage nach besonderen äußeren Merkmalen auflisten: »Ich trage eine dicke Kassenbrille, einen ungepflegten Zottelbart, habe eine Glatze mit Gorbatschow-mäßigen Muttermalen, Akne, schlechte Zähne, gelbe Nikotinfinger mit abgekauten Nägeln, einen Bierbauch und die Namen von 16 Frauen unter den Totenkopf tätowiert.«

Um eine einigermaßen realistische Antwort zu bekommen, müssen Sie konkrete Fragen diplomatisch formulieren.

Conny: » Hast du **manchmal** ein Bäuchlein?«

Alex: »Nur selten, und dann ein ganz kleines. Es fällt nicht auf.«

Conny: »**Besitzt** du eine Brille?«
Alex: »Aber ich brauche sie nur zum Lesen.«

## Gesicht und Kopf

Sie können sich nach Haarfarbe (aktuelle oder natürliche), Haarlänge, Frisur (Locken, Dauerwelle (!), Schnitt – und dem investierten Pflegeaufwand), nach Augenfarbe, Gesichtsform, Nase, Mund und Zähnen erkundigen.
Conny: »Was **gefällt** dir am besten an deinem Gesicht?«
Conny: »Was ist das **auffälligste** Merkmal in deinem Gesicht?«

Conny: »Wenn deine Freunde dich beschreiben müßten, mit welchem Schauspieler oder Prominenten würden sie dich am ehesten vergleichen?«

Conny: »Wie würde dein bester Feind dich beschreiben?«

# Typ, Auftreten und persönlicher Stil

Auch hier wird viel idealisiert. Manche Trampel bezeichnen sich als elegant. Vor allem bezeichnet sich niemand als Trampel. Leider. Statt dessen verwenden alle die Begriffe, die Sie unter »Texten und Verstehen« (besonders ab S. 31) nachlesen können.

## Kleidung

Kleidung ist ein ganz wesentliches Kennzeichen für die gesellschaftliche Gruppe, die Szene, in der sich jemand bewegt. Man sollte sich unbedingt nach den Bekleidungsgewohnheiten erkundigen, wenn man sich Schocks bei Blind Dates ersparen möchte.
»Welche Art der **Kleidung** bevorzugst du?«
Hier fragen Sie nach Stil, Markennamen und Einkaufsquellen.
Leute ohne eigenen Geschmack, Frauen und Männer, die unauffällig aussehen und kaum Wert auf Schick legen, bezeichnen sich leider nie als geschmacklos und unscheinbar. Den meisten »grauen Mäusen« fällt ihr Mangel an Profil und Geschmack gar nicht auf. Sehr viele Frauen behaupten gern:
Alex: »Mal Jeans, mal Abendkleid. Kommt auf den Anlaß an.«
Conny: »Würdest du dich als modebewußt bezeichnen?«
Die meisten Männer und sehr viele Frauen dürften es eigentlich nicht.

Conny: »Trägst du (im Alltag) oft Röcke oder Kleider?«
Alex: »Ich ziehe auch schon mal ganz gern ein Kleid oder einen Rock an.«
Conny: »Haben dich deine Ex-Partner mit dem Wunsch genervt, du solltest dich anders kleiden?«

Conny: »Trägst du immer flache Schuhe?«
Alex: »Die sind so bequem.«
Größere Frauen mit modischem Flair bedauern:
»Ich kenne leider so wenig Männer, die neben mir groß genug aussehen, wenn ich Pumps trage.«
Männer bevorzugen Jeans oder Stoffhosen, tragen Hemden oder T-Shirts (mit Aufdruck?), binden Kravatte, Fliege oder grundsätzlich nichts dergleichen um; manche ziehen ihre Lederjacke scheinbar nur zum Duschen aus, andere tragen Sakkos, Anzüge, Jogging-Klamotten und überhaupt alles mit Aufdruck. Manche kaufen nur Designersachen, andere nur Sonderangebote vom Karstadt-Ständer, wieder andere kleiden sich auf Flohmärkten oder in Second-Hand-Läden ein. Es kann interessant sein, die Lieblingsläden bzw. die Preisklassen zu erfragen.
Eine Frage, die weibliche Kontakt-Profis stellen, lautet:
»Trägst du ein Goldkettchen? Hattest du schon einmal eine Dauerwelle? Oder Strähnchen? Bist du tätowiert?«
Nur bestimmte Typen fühlen sich mit Cowboystiefeln wohl, und es sagt viel über einen Mann, ob er überwiegend Turnschuhe oder Springerstiefel trägt, ob er spitze Schuhe besitzt oder Budapester Schuhe jenseits der 300 Mark im Schrank hat. Außerdem kann man eine lustige Konversation über Schuhpflege treiben.

## Die Frage nach den Dessous

Auch ausgesprochene Strumpfhosenhasser sollten sich nicht am Telefon nach Dessous erkundigen, weil das sexistisch wirkt und zu sehr nach Fetischismus aussieht.

# Attraktivität und Ausstrahlung

Es ist so gut wie unmöglich, am Telefon eine realistische Einschätzung der »Schönheit« oder »Attraktivität« zu bekommen. Wenn z.B. eine Frau »von den attraktivsten Männern ihres Bekanntenkreises umschwärmt« ist, kann das vieles bedeuten: Sie findet einen Mann nur attraktiv, wenn er sich für sie interessiert; es machen kaum andere Frauen aktiv mit im Kugelstoßerverein Spandau; sie gilt als sexuell besonders zugänglich; die attraktivsten Männer eines ausschließlich aus Metzgern bestehenden Bekanntenkreises haben einen ganz besonderen Geschmack; sie ist hübsch und interessant.

Verhaltensforscher konnten feststellen, daß Frauen, wenn sie sich Schulzensuren geben sollten, ihre eigene Attraktivität schlechter benoteten als sie von Männern gesehen wurden, während Männer sich für deutlich hübscher hielten als Frauen sie fanden. Weiteres Ergebnis: Frauen interessieren sich wesentlich weniger für die äußerliche Attraktivität ihres möglichen Partners als Männer.

Conny: »Wie wichtig ist dir das Aussehen deines Partners?«

Unwichtig? Dann nimmt man auch das eigene Aussehen nicht wichtig.

Conny: (nur Mann fragt Frau) »Wirst du häufig angesprochen? Wo, von wem und wie? Und **warum?**«

Conny: (nur Mann fragt Frau) »Ist es dir jemals lästig gewesen, wenn man dich angesprochen hat?«

Alex: »Ja.«

Conny: »Weil es die Falschen getan haben oder weil es zu oft passiert ist?«

Conny: »Wieviele sehr gutaussehende Leute (des eigenen Geschlechts) hast du in deinem Bekanntenkreis?«

Alex: »Vier.«

Conny: »Und sehr unattraktive?«

Alex: »Zwei.«

Conny: »Wieviele deiner Bekannten sind hübscher als du?«

Conny: Kennst du Leute, die allein wegen deines Aussehens sofort mit dir zusammensein möchten?«

Alex: »Ja.«

Conny: »Sieht einer von denen ungewöhnlich gut aus?«

Alex: »Eigentlich schon.«

Conny: »Warum nimmst du den nicht?«

Conny: (Frau fragt Mann) »Wann hast du das letzte Mal eine Frau angesprochen? Was hast du gesagt? Warum hat sie dir gefallen?«

Conny: »Wann bist du das letzte Mal ›richtig‹ (also nicht nur kurz auf die Lippen) geküßt worden?«

# Beruf, Job, Ausbildung

Der (mögliche) Lebensstil hängt weitgehend vom Einkommen ab. Ausbildung, Beruf und berufliche Stellung stehen in einem (meist direkten) Verhältnis zur Art des Umgangs und des Intellekts.

Conny: »Was machst du beruflich?«

Alex: »Ist das so wichtig?«

Conny: »Dein Lebensstandard, deine Laune und jede Woche 40 Stunden deiner Zeit sind schon wichtig.«

Alex: »Ich bin aber nicht typisch für Leute in meinem Job.«

Dieser Anrufer befürchtet, daß sein Beruf zu falschen Schlußfolgerungen führt. Normalerweise sprechen Leute ungern über den Beruf, die sich nicht mit ihm identifizieren (»Ich bin ein ganz untypischer Polizist.«) und gern etwas anderes (meist Besseres) wären. In der späteren Beziehung werden sie dauernd über die Arbeit nörgeln und einen Partner beneiden, der es zu einer höheren Stellung und mehr Befriedigung im Berufsleben gebracht hat. Nur ganz selten kommt es vor, daß ein inserierender Hotelbesitzer die mittellose Studentin nicht verschrecken möchte und nicht wegen seines Reichtums interessant erscheinen will. Gut verdienende Frauen berichten allerdings oft von Männern, die sie zeitweise durchgefüttert haben.

Direkte Fragen nach dem **Einkommen** werden meist als zu aufdringlich oder geschmacklos empfunden. Man fragt daher besser:

Conny: »Hast du eine Vorstellung, in welchem Bereich der Lebensstandard deines Wunschpartners liegen darf?«


## Einstellung zum Beruf

Conny: »Willst du in deinem Beruf aufsteigen, eine Karriere machen oder umsatteln? Ist der Beruf wichtig für dich? Hast du berufliche Ziele?«

Falls Ihr Anrufer keine beruflichen Perspektiven besitzt, aber Sie selbst zu den Karrieretypen gehören, sollten Sie fragen:

Conny: »Hättest du Verständnis für einen Partner, der beruflich etwas erreichen will und engagiert ist?«

Selbständige und Karrieristen muß man unbedingt nach dem Umfang ihrer Freizeit fragen.

Conny: »Wie oft hast du in deiner letzten Beziehung Verabredungen mit deinem Partner verschoben? Wie oft mußte dein Partner auf dich warten?«

Urlaub versprochen und abgeblasen? Nachts spät aus der Firma gekommen? Das berufliche Umfeld hat oft auch Auswirkungen aufs Privatleben. Ist Ihr Gesprächspartner mit seinen Kollegen befreundet? Dann kreisen die meisten Gespräche um Vorgänge am Arbeitsplatz, und das ist für Sie wahrscheinlich wenig interessant.

# Bildung und Niveau

### Freunde und Bekannte

Diese Menschen sind für Sie in zweifacher Hinsicht interessant: Einmal würden Sie diese Leute wahrscheinlich häufiger um sich haben (müssen?). Vor allem aber gibt das Niveau der Freunde Auskunft über die Maßstäbe Ihres Gesprächspartners.

Conny: »Wie alt sind deine Bekannten?«

»Was machen sie beruflich?«

»Kennst du überwiegend Männer, Frauen, Singles oder Paare?«

»Wo hast du sie kennengelernt?«

»Welche gemeinsamen Interessen habt ihr?«

»Worüber unterhaltet ihr euch vor allem?«

»Was unternehmt ihr gemeinsam?«

»Wie oft und wo und zu wievielen trefft ihr euch?«

Diese letzte Frage ist besonders wichtig, wenn man sich ein realistisches Bild über das Privatleben eines/r Unbekannten machen will. Manche Menschen treffen sich immer nur mit einer Person, andere sind überwiegend in einer Clique unterwegs. Manche treffen sich nur in Cafés oder Kneipen, andere vor allem bei der Ausübung eines Hobbys, wieder andere verbringen viel Zeit mit Bekannten in Privatwohnungen.

»Wann hast du deinen letzten neuen Kumpel/Freund(in) kennengelernt?«

»Welche Art Partner haben deine Bekannten?«

»Was hatte dein letzter Partner an deinem Bekanntenkreis auszusetzen?«

»Hast du Erfahrung mit Partnern, die einen unabhängigen, eigenen Bekanntenkreis hatten?«

### Engagement, Mitgliedschaften

Macht Ihr Gesprächspartner aktiv in einer Organisation oder Gruppe mit?

# Gesprächsniveau

Am besten versteht man sich, wenn man in jeder Hinsicht die gleiche Sprache spricht. Manchen Leuten ist das weniger wichtig als anderen. Es gibt sogar Menschen, die es nicht zu stören scheint, wenn sie sich mit Händen und Füßen mit ihrem fremdsprachigen Partner verständigen müssen. Der Schriftsteller Arthur Miller war mit der nicht gerade als intellektuell bekannten Marilyn Monroe verheiratet – aber nur kurz.

Wenn man schon Unterschiede im Gesprächsniveau akzeptieren muß, dann sollte man es wenigstens vorher wissen.

Conny: »Welche **Zeitschriften** liest du so? Und warum?«

Die Persönlichkeiten von SPIEGEL-Leserin und Bild-Leser unterscheiden sich deutlich – und sind unvereinbar.

Wie wichtig sind **Bücher?** Die Lektüre des »guten Buches« genießt hohes Ansehen. Also wird hier gern geheuchelt. Von einem »guten Buch« sprechen übrigens fast nur Mitglieder der »bildungsfernen Schichten«, die von sich meinen, sie müßten eigentlich mehr lesen.

Conny: »Wann hast du dir das letzte Mal ein Buch gekauft und welches?«

»Was war das letzte Buch, das du verschlungen hast?«

Conny: »Welche Bücher und Autoren gefallen dir nicht so gut? Welches Buch hast du in letzter Zeit nicht zu Ende gelesen?«

Erst bei dieser Fragestellung erfahren sie, was jemand wirklich (an)gelesen hat. Fragt man nämlich nach Lieblingsautoren, werden einem nur unsterbliche Klassiker (der Schullektüre) und die bekannten Namen aus den Bestsellerlisten genannt – wie sie jeder Nichtleser überall aufgeschnappt haben könnte.

Conny: »Was liest du gerade? An welcher Stelle bist du im Augenblick? Was gefällt dir an dem Buch?«

Lassen Sie Ihren Anrufer ruhig schnell ins Schlafzimmer laufen, um das Buch zu holen.

Fragen Sie unbedingt auch nach Sachbüchern.

Übrigens: Jemand, der ein Buch oder einen Film gut nacherzählen kann, vermag auch die eigenen Erlebnisse des Alltags unterhaltsam wiederzugeben.

# Kulturelle Interessensgebiete

Alle Anrufer scheinen »kulturell sehr vielseitig interessiert« und grundsätzlich »nicht festgelegt« zu sein. Wie groß ist ihr Interesse an welchen Sparten der Kultur? In welcher Art beschäftigen sie sich damit – nur vom Sofa aus?

Conny: »Mit wem unterhältst du dich derzeit über Kulturthemen?«

Bei **Kino, Theater, Ausstellung, Konzert** kann man fragen:

Conny: »Was hast du als letztes besucht, und wann war das?«

»Wo erfährst du, was kulturell gerade läuft?«

Fernsehen, Feuilleton der Zeitungen, Zeitschriften, Stadtmagazine, Fachblätter?

Conny: »Von welchem Kinofilm würdest du mir abraten, welchen würdest du mir empfehlen? Und warum?«

Ähnliche Fragen kann man zu Theater, Ausstellungen und Konzerten stellen. Interesse am **Theater** klingt nach Bildungsbürger, meint oft aber: »Ich habe in den letzten drei Jahren zwei Musicals gesehen und will ›Cats‹ besuchen.« Fragen Sie also (bei Interesse):

Conny: »Wieviele (und welche) Theaterstücke hast du dir im Laufe des letzten Jahres angesehen?«

Auch beim Thema **Konzert** sollte man nachfragen. Vielfach erzählen einem Leute, welche Konzerte sie »schon lange mal (wieder?) besuchen wollten«, aber...

Für die meisten ist **Fernsehen** die wichtigste kulturelle Beschäftigung. Vor allem kennt jeder fast alles, was im Fernsehen geboten wird. Sie können sich ein sehr gutes Bild über das kulturelle Niveau und den Geschmack eines Menschen machen, wenn Sie nach TV-Gewohnheiten fragen. Leider schämen sich fast alles für ihren Fernsehkonsum. Seien Sie nicht zu streng – jeder muß sich mal entspannen, und selbst leichte Unterhaltung kann auch intelligent sein.

Conny: »Welche Sendungen versäumst du möglichst nie?«

»Gibt es irgendwas im Fernsehen, das du einigermaßen akzeptabel findest?«

»Bei welchen Sendungen wird dir schlecht? Bei welchen Sendungen beschleicht dich das Gefühl von Peinlichkeit?«

»Siehst du dir gerne Filme im Fernsehen an, oder leihst du dir lieber Videos aus?«

## Kreative Hobbys

Fragen Sie nach Malen, Schreiben, Musizieren etc. und interessieren Sie sich für Stil und Umfang dieser Beschäftigung.

## Kulturgeschmack

Der **Musikgeschmack** hat sich als der beste Gradmesser für Wesensverwandtschaft erwiesen! Offenbar korrespondiert die bevorzugte Musik mit tiefliegenden Charaktermustern – vor allem, wenn sie bewußt und nicht nur als Hintergrundgeräusch gehört wird. Es gilt besonders hier: Gleich und gleich gesellt sich gern.

Ähnliches wie bei der Musik kann man auch bei den anderen Künsten beobachten. Der wesentliche Unterschied besteht darin, daß jeder Mensch einen Musikgeschmack hat, während nur wenige die Frage beantworten können: »Was sind deine Lieblingsarchitekten?«

Mit ein bißchen Namedropping können Sie sich schon bald in die Geschmackswelt Ihres Gesprächspartners hineindenken. Lassen Sie sich aufzählen, welche Stilrichtungen und Künstler/Autoren/Schauspieler/ Regisseure etc. Ihr Gesprächspartner bewundert, welche ihn langweilen.

Es gilt als Statussymbol, wenn man sich mit »Hochkultur« auskennt und »anspruchsvolle« Kunst konsumiert. Entsprechend viele ausweichende Antworten, Übertreibungen und Aufschneiderei werden einem geboten – spätestens, wenn man selbst kunstverständig zu sein scheint.

Conny: »Interessierst du dich für moderne Kunst?«
Alex: »Ja, sehr.«
Conny: »Was gefällt dir da?«
Alex: »Picasso.«

Ein heuchlerischer Gesprächspartner weiß genau, daß er sich hier auf sicherem Terrain bewegt. Nur wenn man sich etwas besser auskennt, kann man auch die Namen derjenigen nennen, die einem nicht gefallen. Fragen Sie auch hier, wie bei allen Geschmacksfragen, unbedingt nach den Negativurteilen.

Verfallen Sie aber niemals ins Abfragen!

Conny: »Wie findest du Twombly?«
Alex: »Kenne ich nicht.«
Conny: »Und Fetting?«
Alex: »Kenne ich nicht.«
Conny: »Oder Fontana?«
Alex: »Kenne ich nicht.«

Spätestens jetzt wird Ihr Anrufer Sie als Besserwisser und Oberlehrer hassen. Fragen nach dem Geschmack in Sachen Alltagskultur, Trivialkultur, Pop etc. werden aufrichtiger beantwortet und sind – weil sie mit dem Alltäglichen zu tun haben – interessanter als Fragen zu Hochkulturellem.

# Soziale Schicht, Lifestyle und »Szene«

Welcher »Szene« jemand zugerechnet werden muß, kann man am besten an den bevorzugten Lokalen erkennen. Hier treffen sich vorwiegend Leute, die einem selbst in Lebenseinstellung und Geschmack ähneln. Die Frage nach den öffentlichen Treffpunkten ist eine der wichtigsten in diesem Katalog und sollte **immer** gestellt werden!

Die Marken(artikel), die jemand kauft, sagen viel über Lebenseinstellung, Rang und Kaste aus. Leider wirken Fragen in diese Richtung schnell wie Abfragen: »Sag mir, was du besitzt«.

Fragen Sie zuerst positiv:

Conny: »Welche Lokale bevorzugst du, wenn du essen gehst?«

Aus der Antwort können Sie erfahren, ob jemand einen schicken Restaurantgeschmack hat oder einfach nur zum »Italiener« geht.

Conny: »Wohin gehst du, wenn du tanzen/ein Gläschen trinken gehst? Und mit wem?«

Am besten ist es, wenn Ihr Anrufer eine Disko oder Kneipe verteidigt, weil er sich besonders mit ihr identifiziert.

Fragen Sie erst jetzt nach den Ablehnungen:

Conny: »In welche Restaurants, in welche Kneipen und in welche Diskos würdest du auf keinen Fall gehen?«

**Der (Marken)Geschmack** bei Konsumgütern verrät einiges über den persönlichen Stil eines Menschen – auch wenn er sich die favorisierten Produkte (noch) nicht leisten kann. Fragen Sie also immer nach dem tatsächlichen Kaufverhalten **und** nach dem Wunschzettel.

Statussymbole verraten viel über die Lebenseinstellung ihrer Besitzer. Interessieren Sie sich für: Kleidung, Schuhe, Uhr, Schmuck, Möbel, Auto, Reisen, Hifi, Hobby.

Kleidung sagt viel über ihren Besitzer aus. Interessieren Sie sich aber auch für **Einrichtung** und **Dekoration.**

Conny: »In welchem Stil bist du eingerichtet?«

Liegen Sachen herum? Ist alles aufgeräumt? Liegen Kissen auf dem Sofa? Welche Farben? Schwerpunkt auf Gemütlichkeit oder Eleganz oder Funktionalität?

Conny: »Welche sozusagen unnützen Gegenstände stehen in deiner Wohnung zur Dekoration herum?«

Conny: »Welche Art von Bildern hängt an deinen Wänden?«


# Herkunft

Seien Sie vorsichtig bei Fragen nach dem Elternhaus. Vermeiden Sie den Eindruck, Sie seien konservativ oder ein lästiger Hobbypsychologe.

Conny: »Welches Verhältnis hast du zu deinen Eltern? Wie oft telefoniert ihr? Wie oft siehst du sie?«

»In welcher Art von Haushalt bist du aufgewachsen?«

»Was machen deine Eltern in ihrer Freizeit?«

Sie wollen herausfinden, wie kultiviert es zu Hause zugegangen ist.

Wenn Sie schon bei Eltern und Familie sind, können Sie auch fragen, welche Art von Erziehung man genossen hat. Herrschten Strenge, Wärme, Förderung oder Gleichgültigkeit vor? Wie verstanden sich die Eltern (Zärtlichkeit, Gewalt, Scheidung etc.)? Wie stand und steht man zu Geschwistern? Wie wichtig war die Religion?

Sehr oft hört man auch die Frage nach der Gegend, in der jemand aufgewachsen ist. Zu einem wichtigen Thema wird dies aber nur bei **Ausländern** und Gesprächspartnern aus dem jeweils **anderen Teil Deutschlands**. Angehörige beider Gruppen bezeichnen sich regelmäßig als »völlig untypische Ausnahme«. Fragen Sie also:

Conny: »Wie sind denn deine (Lands)Leute allgemein in deinen Augen?«

# Persönlichkeit und Charakter

Im Verlauf des Gespräches haben Sie schon viel zu diesem Thema erfahren. Aber am Telefon und in dieser besonderen »Reklame«-Situation wird viel geschönt. Fragen Sie daher weiter.

Conny: »Was hatten deine letzten Partner an dir auszusetzen?«

### Gegensatzpaare

Bei den folgenden Gegensatzpaaren sollten Sie zuerst entscheiden, wo Sie sich selbst ansiedeln. Suchen Sie dann die Eigenschaften heraus, die Ihr künftiger Partner möglichst nicht bzw. auf keinen Fall haben sollte.

Natürlich soll diese Liste nur als Anregung dienen und kann beliebig nach Ihren eigenen Vorstellungen erweitert werden.

Fragen Sie erst nach den **Tugenden**, dann nach den **Schwächen**.

Conny: »Hast du irgendwelche Macken? Gibt es irgendwas, was Leute an dir befremdet? Wirst du wegen irgendwas aufgezogen?«

»Welche Probleme hättest du mit dir, wenn du mit dir zusammensein solltest? Was nervt dich an dir?«

»Wie sehen dich die anderen? Und woher weißt du das?«

# Schwächen

Wenn Sie etwas über die dunklen Kapitel einer Persönlichkeit herausfinden wollen, müssen Sie in Ihren Fragen Verniedlichungen verwenden.

# Gegensatzpaare

| | | |
|---|:---:|---|
| introvertiert | — | extrovertiert |
| initiativ | — | folgend |
| aktiv | — | abwartend |
| unternehmungslustig | — | häuslich |
| lieb | — | zynisch |
| geduldig | — | ungeduldig |
| großzügig | — | genau |
| temperamentvoll | — | besonnen |
| pünktlich | — | unpünktlich |
| planend | — | spontan |
| natürlich | — | raffiniert |
| einfach | — | kompliziert |
| optimistisch | — | pessimistisch |
| Frohnatur | — | launisch |
| Mittelpunkt | — | zweite Reihe |
| auffällig | — | durchschnittlich |
| eigenwillig | — | anpassungsfähig |
| selbständig | — | unselbständig |
| einzelgängerisch | — | gesellig |
| zufrieden | — | unzufrieden |
| laut | — | leise |
| kontaktstark | — | schüchtern |
| locker | — | steif |
| clever | — | blauäugig |
| ruhig | — | aufgeregt/nervös |
| streitend | — | schlichtend |
| diskussionsfreudig | — | versöhnlich |
| vernünftig | — | verrückt |
| ruhig | — | überdreht |
| sachlich | — | emotional |
| kühl | — | warm |
| gerecht | — | ungerecht |
| skeptisch | — | gutgläubig |
| ambitioniert | — | zufrieden |
| verschwenderisch | — | sparsam |
| realistisch | — | träumerisch |
| eindeutig | — | unentschieden |
| abstrakt | — | konkret |

## Rauchen, Alkohol, Drogen, Spielsucht

Nichtraucher sollten sich unbedingt erkundigen, in welchem Umfang der andere raucht. Man bekommt mehr oder weniger geschönte Antworten. Alkoholproblemen ist schwerer auf die Spur zu kommen. Auch Personen mit hohem Medikamentenverbrauch lügen immer. Konsumiert Ihr Gesprächspartner illegale Drogen, läßt sich eine Antwort nur herauskitzeln, wenn Sie sich als »sehr aufgeschlossen« in Sachen Haschisch oder Koks geben.

Conny: »Glaubst du, daß manche Leute diszipliniert mit Kokain umgehen können?«

Fragen Sie auch nach Spielsucht (Automaten und Casino).


## Gewalttätigkeit

Conny: »Ist dir schon mal deinem Partner gegenüber die Hand ausgerutscht?«


## »Psychos«

In meinen Interviews wurde mir häufiger von »völlig abgedrehten«, »absolut unmöglichen« oder »echt gestörten« Typen erzählt, die man am Telefon hatte oder irgendwo traf. Diese »Psychos« gelten allgemein als die penetrantesten, gräßlichsten Blind Dates.

Depressive, hochneurotische, sehr hysterische oder sonstwie psychisch nicht gesunde bzw. verhaltensgestörte Menschen haben besondere Probleme, einen Partner zu finden. Sie versuchen es gern mit Kontaktanzeigen, weil sie hier über längere Zeit die Person spielen können, die sie gern wären oder die sie (und das sind nach einhelliger Meinung aller meiner GesprächspartnerInnen mit entsprechenden Erfahrungen die schlimmsten »Psychos«) zu sein meinen.

Meist kann man an der Art des Sprechens schon bemerken, daß etwas nicht stimmt. Weinerlicher Tonfall und stockender Redefluß mit quälenden Pausen sollten Sie ebenso hellhörig machen wie (theatralische, euphorische) Hektik und ein Wortschwall, der sich nicht unterbrechen läßt. Auch durch gnadenlose Lügen voll innerer Widersprüche, unglaubliche Fantasiegeschichten und vollkommen unwahrscheinliche Biografien verraten sich die berüchtigten »Psychos« gern. Zudem können sich die meisten »Psychos« nicht in ihre Gesprächspartner hineinversetzen, hören nicht zu, sind in höchstem Maße intolerant (besonders, wenn man Ironie anwendet), sind schnell beleidigt und interessieren sich nur für sich selbst – ihr einziges und definitives Lieblingsthema.

Leider schätzen sich derartige Personen als »normal« bis vorbildlich und gern auch überdurchschnittlich hübsch, interessant, unkonventionell etc. ein – und irren sich. Natürlich verleugnen sie ihre Krankengeschichte.

## Behinderungen und Krankheiten

Immer häufiger kann man Kontaktanzeigen lesen, in denen behinderte Menschen Partner suchen, die ebenfalls unter einer Behinderung zu leiden haben. Zunehmend finden sich in den Mann-sucht-Mann-Rubriken HIV-Positive, die sich eine Beziehung mit einem Leidensgenossen wünschen. Die Annonce ist für diese von der Gesellschaft ausgegrenzten Gruppen eine gute Möglichkeit, jemanden kennenzulernen, der einen wegen eines »Makels« nicht ablehnt.

Nicht alle Inserenten oder Leser mit permanenten gesundheitlichen Problemen sind so vernünftig, auf dieses wichtige Detail hinzuweisen. Es wird am Telefon selten danach gefragt, außer bei Geschlechtskrankheiten (und hier wiederum vor allem in der Homo- und Hardcore-Szene).

# Einstellungen

## Lebenseinstellung, Lebensziele

Je ähnlicher man sich gerade in diesem Bereich ist, desto mehr kann man langfristig miteinander anfangen. Beim Gespräch über dieses Thema sollten unter anderen die Worte »Beruf«, »Kinder« und »Geld« fallen.

Conny: »Was erwartest du vom Leben? Was willst du erreichen? Was ist dir besonders wichtig im Leben?«

## Religion, New Age und Selbsterfahrung

Früher konnte man die Bevölkerung in mehr oder weniger praktizierende Katholiken, Protestanten und Atheisten teilen. Heute trifft man auf ein wesentlich breiter gefächertes Glaubensspektrum. Unzählige Menschen besitzen ausgeprägte spirituelle oder esoterische Interessen. Für eine Partnerschaft ist zumindest interessant, welche Bedeutung der (New Age) Glaube im tatsächlichen Leben und im Bekanntenkreis besitzt. Ist Ihr Gesprächspartner (aktives) Mitglied einer (mehr oder weniger lockeren) Glaubensgemeinschaft? Nimmt er häufiger an »Gruppen« teil, die sich mit Spiritualität oder einer eher psychologisch orientierten Selbsterfahrung befassen? Liest er esoterische Literatur?

Einen (zugegeben wenig eleganten) Einstieg ins Thema erreicht man durch Fragen nach dem Glauben an Gott und die Wiedergeburt, nach der Bedeutung der Astrologie und der Religion für den einzelnen und die Menschheit.

## Einstellung zu Emanzipation und Geschlechterrollen

Frauen fragen zunehmend nach der Einstellunge der Männer zu Fragen von Gleichberechtigung und Emanzipation.

> Conny: »Was können Frauen besser als Männer? Wo liegt die Überlegenheit der Männer gegenüber den Frauen? Gibt es eine ›natürliche‹ Rollenverteilung? Welche Frauenrolle wünschst du dir von einer Frau? Wo sind die Grenzen der Gleichberechtigung?«

## Politische Einstellung, Weltanschauung

Schneiden Sie eines der aktuellen politischen Streitthemen an, und schon erfahren Sie, wo Ihr Gesprächspartner steht, wie informiert und tolerant er ist und wie er sich in einer Diskussion verhält – vor allem, wenn Sie (zum Schein!) einen oppositionellen Standpunkt einnehmen.

Wie weit geht das Engagement Ihres Gesprächspartners? Für welche politischen Ziele würde er sich am ehesten einsetzen? Was findet er politisch gerecht, was ungerecht? Woher bezieht er seine politischen Informationen?

> Conny: »Welche Vorurteile kannst du noch am ehesten verstehen?«

# Humor und Gesprächsstil

## Humor

Ständig wird nach »humorvollen« Partnern gesucht, und jeder Inserent scheint viel Humor zu besitzen. Darauf kann man sich nicht verlassen. Viele Zuhörer sind mit einem etwas über dem eigenen Niveau liegenden Humor überfordert. Andere wiederum kann man mit schlichten Witzen aus einer Illustrierten zum Lachen bringen.

Humor ist Geschmacksache. Welche Art von Humor bevorzugt Ihr Gesprächspartner?

> Conny: »Bei welchem/r Film/Buch/Artikel/TV-Sendung hast du das letzte Mal Tränen gelacht?«

»Gehst du manchmal ins Kabarett?«
»Welchen Komiker oder Kabarettisten findest du (nicht) witzig?«
»Kannst du dir Witze merken oder erzählen?«
»Liest du die Witze in Zeitschriften?«
»Wie findest du das Magazin ›Titanic‹?«
»Magst du irgendwelche Cartoonisten (nicht)?«
Das **Niveau des Humors** ist schwer zu bestimmen. Fragen Sie nach folgenden Geschmacksrichtungen: Sprüche, Witze, Kalauer, trockener Humor, schwarzer Humor, Schadenfreude, Geschmacklosigkeit, gemeiner Humor, zynisch, geistreich, politisch, kabarettistisch.

## Unterhaltungswert und Unterhaltungsbedürfnis

Conny: »Was finden die Leute an dir unterhaltsam?«
»Wer fühlt sich von dir gelangweilt?«

Conny: »Langweilst du dich leicht?«
Alex: »Ja.«
Conny: »Wie kann man dich langweilen?«

## Lieblingsthemen

Viele Menschen tauen erst auf, wenn sie über eines ihrer Lieblingsthemen sprechen können.

Conny: »Gibt es Themen, über die du dich besonders häufig oder besonders gern unterhältst?«
»Kennst du dich mit irgendwelchen Themen so gut aus, daß die meisten Leute nicht mitreden können? Hast du besondere Wissensgebiete?«
»Für welche deiner Themen interessieren sich die meisten deiner Gesprächspartner zu wenig?«

## Bevorzugte Art des Gespräches

Conny: »Welche Art von Unterhaltung amüsiert dich am meisten?«
»Bei welcher Art von Gespräch hörst du mehr zu als selbst etwas zu sagen?«
Ist Ihr Gesprächspartner ein guter **Plauderer** mit Spaß an Small talk? Ist er Ihnen **schlagfertig** genug und nicht zu verletzend? Kann und liebt er das **Rumalbern** und **Blödeln**? Ist er (zu) leicht **eingeschnappt**, wenn Sie ihn durch den Kakao ziehen? **Lästert** er gerne? Erzählt er **Geschichten**? Liebt er

Diskussionen und philosophiert er ab und zu? Antwortet er zu einsilbig und langweilig – oder kommt er Ihnen zu geschwätzig vor?

# Sex

Wenn man in erotischen Dingen unterschiedliche Auffassungen hat, kann eine Beziehung kaum funktionieren. Die Frage nach Sex muß also irgendwann gestellt werden – meist erst im zweiten Teil des Blind Dates, bei aufgeschlossenen, lockeren Gesprächspartnern aber evtl. schon am Telefon.
Das Thema erfordert eine besonders sorgfältige Behandlung. Es darf nicht der Eindruck entstehen, einer der beiden Gesprächspartner hätte in dieser Hinsicht »Probleme« oder eine »Macke«.
Fragen Sie erst höflich, ob Sie »das Thema Erotik ansprechen« dürfen.

## Safer Sex?

Die wichtigste und häufigste Frage ist die nach Safer Sex geworden. Man fragt, ob, wann und warum man getestet ist und erkundigt sich nach der Einstellung zum geschützten Verkehr und zur Treue.
Man unterhält sich über One-night-stands und Erlebnisse mit (fremder sowie eigener) Inkonsequenz (besonders unter Einfluß von Alkohol oder Kokain).
   Conny: »Hast du schon mal nach dem Vorspiel aufgehört, weil es Meinungsverschiedenheiten wegen Kondomen gab?«

## Bedeutung der Erotik

   Conny: »Glaubst du, daß ähnliche Vorstellungen von Erotik die Voraussetzung für eine glückliche Beziehung sind?«
   Alex: »Ja.«
   Conny: »Könntest du mit einem Partner glücklich sein, der viel häufiger oder viel seltener mit dir ins Bett will als du mit ihm und andere Praktiken bevorzugt als du?«

## Einstellung und Raffinesse

   Conny: »Hast du dich in deiner letzten Beziehung immer wieder mal auf einen erotischen Abend vorbereitet? Schickmachen, kleiner Imbiß, Kerzenlicht, die richtige Musik und so?«

»Findest du, daß man außerdem ab und zu spontan übereinander herfallen sollte?«
»Unter welchen Umständen hast du keine Lust auf Sex?«

## Sexappeal

Conny: »Wollen viele Leute mit dir ins Bett gehen? Und warum?«

## Frequenz

Conny: »Ist dir jemals vorgeworfen worden, du nähmest Sex zu wichtig?«
Wenn ja: Diese Person will eher häufig oder hatte einen besonders unlustigen Partner.
Conny: »Wieviele Tage könntest du mit deinem Partner verbringen, ohne ihn ausgiebig zu küssen?«
»Könntest du sagen, wie oft im Monat du Lust hast?«

## Porno

Weil man nicht über die eigenen Praktiken sprechen muß, ist das Thema Pornographie ein guter Einstieg in ein Gespräch über das, was einen erotisch anspricht oder abstößt.
Conny: »Welche Einstellung hast du zur Pornographie (Video, Hefte, Trivialbücher, erotische Literatur)? Was gefällt dir, was findest du geschmacklos?«

## Praktiken

Conny: »Würdest du dich als eher ›erfahren‹ bezeichnen?«
»Hast du dich schon mal als Sexobjekt gefühlt?«
»Welche Wünsche hast du schon mal abgeschlagen?«
»Welche Praktiken haben dir keinen Spaß gemacht?«
Gehen Sie niemals davon aus, daß Ihr Gesprächspartner unter »normal« dasselbe versteht wie Sie. 15,8 % aller Frauen lehnen Oralsex ab[1], 20,4 % aller Männer wünschen sich »mehr Analsex«, 12,4 % der Männer finden es

[1] Jedenfalls sagten 15,8% der Männer, sie bekämen "nie Oralsex" (Prof. W. Habermehl: "So treiben's die Deutschen", Eichborn Verlag, Frankfurt/M. 1985)

»störend, wenn sich der Partner beim Geschlechtsverkehr selbst mit der Hand stimuliert« (und 24,3 % der Frauen)[1].

Conny: »Welche Praktiken kommen für dich nicht in Frage?«

Sie können folgende Möglichkeiten anbieten (in der Reihenfolge ihres Verbreitungsgrades): Sex außerhalb des Bettes, Oralsex, Strapse, High Heels, sonstige (Reiz)Wäsche, Vibratoren, sonstiges Spielzeug, Analsex, Augenverbinden, leichtes Fesseln, Fotografieren, Video im Schlafzimmer, spezielle Kleidung aus Leder, Lack oder Gummi, Rollenspiele (improvisiertes Theater), »Natursekt« (Urinspiele), Dreier (MMW oder WWM), Gruppensex (mehrere Paare treiben es ohne Partnertausch im selben Raum), Partnertausch, S/M (Erniedrigen, Schlagen).

Conny: »Hast du Erfahrungen mit irgendwas jenseits von Zwei-Nackte-treiben-es-im-Bett?«

Alex: »Ja.«

Conny: »Was war das Erlebnis, wo du am weitesten gegangen bist?«


Conny: »Findest du Strümpfe und Schuhe beim Sex mutig/geschmacklos?«

Sagen Sie »geschmacklos«, denn Begriffe wie »nuttig« oder »pervers« grenzen zu sehr ein.

Wenn Sie vorsichtig Ihre Neigungen andeuten wollen, können Sie sagen:

Conny: »Ich war mal verliebt in einen Partner, dem machte es Spaß, wenn wir...«


## Experimentierfreude, Abenteuerlust

Conny: »Bist du festgelegt auf bestimmte Arten von Sex?«

Alex: »Nicht unbedingt.«

Conny: »Hättest du Lust, mal was Neues auszuprobieren?«

Sehr häufig dient der Film »Neuneinhalb Wochen« mit Kim Basinger und Mickey Rourke als Anregung und Maßstab zum Thema. In ihm werden allerlei milde S/M-Praktiken und Rollenspiele auf eine sehr appetitliche Art gezeigt.


## Rollenverteilung

Conny: »Übernimmst du häufiger die Initiative? Oder läßt du dich lieber verführen?«

---

[1] Habermehl, 1985

# Gesundes Mißtrauen

## Die häufigsten Lügen

Die bequeme Anonymität der Kontaktanzeigen-Szene verführt einige dazu, aus Opportunismus und Angeberei falsche Angaben über sich und ihre Wünsche zu machen.

Am häufigsten wird zum Thema »Äußerlichkeiten« geflunkert. Das Alter wird um ein paar Jahre nach unten korrigiert, bis die schmeichelhafteste Fehleinschätzung der letzten fünf Jahre erreicht ist. Das Gesicht wird telefonisch geliftet und der theoretische Erfolg geplanter Diäten vorweggenommen.

Viele alleinerziehende Mütter verschweigen anfänglich ihre **Kinder**, weil sie wissen, daß viele Männer einer Frau mit Anhang von vornherein keine Chance geben wollen. Diese Frauen denken entweder, daß ein Mann die Kinder als »Makel« schon in Kauf nehmen werde, wenn er erst mal die Mutti liebt. Oder sie bilden sich ein, sie könnten mit einem Mann eine Beziehung führen, bei der die Kinder gar nicht in Erscheinung treten, solange der Mann es will. Die Erfahrung zeigt aber, daß das fast nie funktioniert. Nach einiger Zeit wird von jedem Mann verlangt, daß er die Kinder der alleinerziehenden Mutter akzeptiert.

Zur derben Lüge greifen auch **verheiratete Männer** (seltener Frauen). Sie bilden sich ein, daß es Frauen gibt, die aus rein erotischen Gründen ohne weitergehende Ansprüche und Perspektiven etwas mit ihnen haben wollen. »Wir könnten mächtig Spaß miteinander haben, ganz locker.« Und von der bestehenden Ehe erfährt die neue Geliebte noch früh genug.

Ebenfalls gelogen wird hinsichtlich sämtlicher **Statussymbole**: Auto, Einkommen, soziale Stellung und Attraktivität der letzten Partner, Umfang und Qualität des Bekanntenkreises, Bildung, Interessen, Kultur. Männer stehen beruflich oft über ihrem tatsächlichen Chef. Schreibkräfte schlüpfen in die Rolle der Powerfrau mit Doktortitel.

Keiner dieser **Hobbyhochstapler** führt ein Doppelleben. Schwindelnde Männer wollen eine Frau ins Bett kriegen, hochstapelnde Frauen erscheinen meist gar nicht zu den von ihnen angezettelten Verabredungen.

Untertreibungen kommen nur selten vor – außer beim Thema **Einsamkeit**.

Sehr gern verschwiegen wird die **dunkle Vergangenheit**. Man wünscht einen »Neuanfang« und verschweigt, was der bestehende Bekanntenkreis schon weiß. »Für unsere Zukunft ist es nicht wichtig, was ich früher gemacht habe. Nach vier Jahren Knast ist die Sache erledigt.« Die häufigsten Geheimnisse sind: Drogenkarrieren (inkl. Alkohol- und Spielsucht), Kriminelles aller Art, Prostitution, gewalttätige Beziehungen, (überwundene)

Krankheiten. Auch von Pleiten, Offenbarungseiden und Verschuldung erfährt man meist recht spät und überraschend.

## Lügner entlarven

Der enttarnte Hochstapler wird nie eine wirklich ausgeglichene Beziehung aufbauen können, muß er doch immer befürchten, daß man ihm die anfänglichen Lügen nicht verzeiht. Viele Hochstapler glauben sich (mit der Zeit) ihre Übertreibungen und verdrehten Sichtweisen. Diese Fälle sind besonders unerträglich – und immer humorlos.

Wollen Sie unbedingt die Wahrheit wissen? Für eine Affäre ist das nicht nötig. »Lieber gute Lügen als langweilige Wahrheiten«, sagte mir mal jemand und fügte hinzu: »Wenn ich merke, daß ich belogen werde, habe ich keine Hemmungen mehr, selbst egoistisch zu sein. Und das macht auch mal Spaß.«

Schwierig wird es nur, wenn Sie sich in einen Lügenbaron verlieben, ihn unbeaufsichtigt in Ihrer Wohnung herumlaufen (also schnüffeln) lassen oder plötzlich Besuch von seinem (angeblich nicht existenten) Partner bekommen.

Für feste und ernsthafte Beziehungen sind Lügner völlig ungeeignet.

## Woran man Lügner und Opportunisten erkennen kann

Vor Hochstaplern und Lügnern können Sie sich nur durch gezielte Rückfragen schützen. Leider reagieren die meisten ehrlichen Gesprächspartner beleidigt auf derartiges Verhalten.

Hochstapler versuchen den Eindruck zu erwecken, sie seien reich, erfolgreich und umschwärmt, hätten aber keine Lust, wegen ihrer überwältigenden »Äußerlichkeiten« geliebt zu werden. Daher reagieren sie auf Fragen nach Geld, Beruf, Status nicht oder durch **ausweichende Antworten**. Wirkliche Erfolgsmenschen hingegen (vor allem die männlichen!) sprechen offen (meist sogar stolz) über diese Dinge – sofern sie davon ausgehen können, daß man ihnen ihren Erfolg nicht vorwirft oder Minderwertigkeitskomplexe aufbrechen.

**Opportunisten legen sich ungern fest.** Wenn Ihr Gesprächspartner sich weigert, sich in Sachen Geschmack, Vorlieben, Schwächen etc. eindeutig zu äußern, will er Ihnen wahrscheinlich um jeden Preis gefallen – ohne Sie zu kennen. Sobald er Informationen über Ihre Einstellungen, Vorlieben, Ihren

Geschmack und Ihre Wünsche hat, kann er behaupten: »Toll. Ich bin genau deiner Meinung. Ich bin genau der Traumpartner, den du suchst.«

Eine solche Person wird bei jeder Gelegenheit versuchen, trotzdem auftauchende Unterschiede durch Sinnverdrehung wegzureden. Wenn Sie sagen, in den Filmen von Wim Wenders passiere nichts, stimmt man Ihnen zu: »Ja, die Streifen von Wenders sind total langweilig.« Dann erklären Sie, daß Sie diese gerade deswegen so lieben, weil so wenig passiert. Schnell schwenkt der Opportunist von Ablehnung um auf: »Ja, genau. Sie sind auf so eine spannende Art – langweilig. Obwohl: langweilig ist eigentlich nicht das ganz richtige Wort...«

Viele versuchen, ihre Gesprächspartner bewußt in die Irre zu leiten – ohne ausdrücklich zu lügen. **Vornehm verschweigen** sie ihre Makel oder **schönen** das Banale zum Besonderen. Sie verstehen die Fragen nach ihren Schwächen absichtlich falsch. Wo es geht, lenken sie mit schwammigen Äußerungen die Fantasie ihrer Gesprächspartner in die falsche, überpositive, Richtung.»Ich arbeite im medizinischen Bereich« heißt aber immer Krankenschwester, außer wenn es sich um eine im Krankenhaus wichtige Putzfrau handelt.

**Lügende** »Feministinnen« rufen auf Inserate mit Telefonnummern an und bezeichnen sich ungefragt als sehr attraktiv, geben sogar ihre Maße (Brust, Taille, Po) an. Sie behaupten, spontan zu sein und nicht gern lange zu telefonieren. Dann schlagen sie einen Treffpunkt vor, der möglichst weit vom Wohnort des Inserenten entfernt liegt. Gegen eine derartig alberne Pädagogik kann man erklären:

> Conny: »Dein Vorschlag klingt zu schön, um wahr zu sein. Verzeih mir bitte, wenn ich etwas mißtrauisch bin, aber ein Freund von mir ist bereits zweimal von Frauen versetzt worden, die keine fünf Minuten am Telefon verbringen wollten. Ich komme, wenn du mir deine Telefonnummer für einen Rückruf angibst oder wir uns noch einige Zeit miteinander unterhalten.«

# Was man Sie fragt

Außer den Fragen, die unter »Telefonieren« ausführlich besprochen worden sind, gibt es eine Reihe typischer Fragen, die Inserenten regelmäßig gestellt bekommen.

## »Dumme Fragen«

Häufiger haben sich meine Interviewpartner bei mir über die vielen »dummen Fragen« beschwert, die man ihnen am Telefon (oder bei Blind Dates) zu »Selbstverständlichkeiten« gestellt hat. Ich fand das etwas kleinlich und bat um Verständnis dafür, daß man für den Gesprächspartner am anderen Ende erst mal ein Fremder ist. Entsprechend viele Mißverständnisse sind möglich, entsprechend groß darf auch die Vorsicht des anderen sein. Hinzu kommt die Aufregung während eines solchen Kontaktes, gerade bei Anfängern.
Seien Sie nicht ungeduldig! Haben Sie Verständnis. Geben Sie jedem eine Chance. Loben Sie Ihren Anrufer für seine Fragen, auch wenn Sie diese nicht gestellt hätten.
Andererseits darf man sich durchaus Vorurteile gestatten, wenn jemand die Annoncenformulierung »dein Vorgänger war Bauingenieur« nicht ohne Hilfestellung verstanden hat.

## Fragen nach dem Text des Inserates

Wenn Sie sich in Ihrer Annonce als »angenehm abgebrüht« beschrieben haben, wird man Sie nach der Bedeutung dieser Formulierung fragen – und genau das wollten Sie. Nun beschreiben Sie entweder den entsprechenden Teil Ihres Wesens, oder Sie fragen zurück:
>    Conny: »Was hat dich an dieser Formulierung neugierig gemacht? Was stellst du dir unter ›angenehm abgebrüht‹ vor?«

## »Hast du das nötig?«

Diese Frage wird fast immer gestellt. Viele Anrufer (vor allem Anfänger) glauben, sie selbst seien einer der ganz wenigen Menschen, die kontakten, obwohl sie nicht unattraktiv sind. Sie befürchten, daß ihr Gesprächspartner ein aus gutem Grunde schwervermittelbarer Fall ist.
Wenn Sie sich in Ihrer Annonce als attraktive und interessante Person be-

schrieben haben, fragt sich Ihr Anrufer, wo denn nun der Haken ist.
Alex: »Hast du Kontaktanzeigen nötig?«
Conny: »Natürlich! Jeder Mensch hat Kontakte nötig.«
Alex: »Lernst du auf normalem Wege niemanden kennen?«
Conny: »Doch, aber warum sollte ich mich auf diese Kontakte beschränken?«
Alex: »Vielleicht bist du zu anspruchsvoll?«
Conny: »Bevorzugst du wahllose Menschen?«

Conny: »Mein Freundeskreis ist recht stabil, es kommen kaum neue Leute hinzu.«
»Wann hast du das letzte Mal eine wildfremde Person auf der Straße oder sonstwo in der Öffentlichkeit angesprochen?«
»Ich bin kein Aufreißertyp.«
»Über meinen Beruf lerne ich zu selten interessante Leute kennen.«
»Kurse, Arbeitsgruppen, VHS, Vereine – das ist nicht unbedingt meine Welt.«
»Ich finde, daß Kontaktanzeigen eine wunderbare Erfindung sind. Der einzige Nachteil ist, daß man erst so spät sieht, mit wem man es zu tun hat.«

## Bedenken gegen Annoncen-»Profis«

Viele Stadtmagazine begrenzen den Umfang einer Kontaktanzeige auf ca. 250 Buchstaben, erlauben aber drei Inserate pro Ausgabe und Person. Daher sind manche Inserenten mit drei Annoncen in derselben Ausgabe vertreten – wie man an ihrer Telefonnummer oder an ihrem »Markenzeichen« (einer regelmäßig wiederkehrenden Formulierung etc.) erkennen kann. Aufmerksame LeserInnen bemerken das genauso wie es ihnen auffällt, wenn man seit einigen Wochen immer wieder mit Annoncen vertreten ist.
Alex: »Du annoncierst doch öfter. Machst du das professionell?«
Der Anrufer befürchtet, daß Sie als Mehrfachinserent eine Reihe erheblicher Nachteile haben. Nehmen Sie diese Befürchtungen vorweg.
Conny: »Ich weiß, daß ich mich als Mehrfachinserent verdächtig mache, eine Reihe Nachteile zu haben: Vielleicht bin ich oberflächlich, unersättlich, kann nicht allein sein, bin absolut unvermittelbar – weil häßlich oder verhaltensgestört; oder ich bin so übertrieben anspruchsvoll, daß mir kein Mensch der Welt gut genug erscheint.«
Das alles sind Sie natürlich nicht. Erklären Sie nun Ihre **Freude am Kennenlernen**, indem Sie sich als offenen, kontaktfreudigen Menschen und begeisterten Partygänger bezeichnen.

Conny: »Wenn ich auf Partys gehe, unterhalte ich mich gern mit verschiedenen Unbekannten. Ich finde das interessant und amüsant. Es erscheint mir ganz normal, daß aus solchen angenehmen Bekanntschaften nur selten Freundschaften entstehen oder daß es sogar funkt. Überleg mal selbst: Wieviele von allen Leuten, die du im letzten Jahr irgendwie kennengelernt hast, sind zu deinen Freunden geworden?«
Stellen Sie sich keinesfalls als zu anspruchsvoll dar. Das würde Ihren Gesprächspartner verschrecken und unter Leistungsdruck setzen. Erst nachdem Sie sich verabredet haben, dürfen Sie über Ihre hohen Anforderungen an die telefonische Sympathie reden – und Ihr Gesprächspartner ist nun geschmeichelt. Tragen Sie zu dick auf, springt Ihnen Ihr Blind Date evtl. kurz vor dem Termin ab.
Erzählen Sie nicht mit Enttäuschung oder Verbitterung über vergangene Telefonate oder Blind Dates. Ihr Gesprächspartner würde befürchten, daß Sie ihm ebenfalls eine schlechte Note erteilen und hinter seinem Rücken so schlecht über ihn sprechen wie über seine Vorgänger.
Als »alter Hase« können Sie aber versprechen, daß das Treffen mit Ihnen zivilisiert und ohne Peinlichkeiten abläuft – das ist der Vorteil Ihrer Erfahrung.


## »Wieviele hast du schon getroffen?«

Conny: (Vor allem bei Inseraten mit Telefonnummer) »Die meisten Anrufer wollte ich nicht treffen.«
So erscheinen Sie wählerisch. Wenn Sie ein Treffen vorschlagen, wird sich Ihr Anrufer geschmeichelt fühlen.
Andererseits darf Ihre Latte nicht zu hoch liegen.
Alex: »Bist du zu anspruchsvoll?«
Conny: »Nein, denn meine bisherigen Partner waren auch keine Fotomodelle mit Professorentitel und Villa. Sie hatten aber alle das gewisse Etwas – in meinen Augen.«
Ungünstig wäre folgende Antwort:
Conny: »Ich bin nicht zu anspruchsvoll, aber die drei, die mir gefielen, wollten mich nicht.«
Doch auch ohne eine derartige Äußerung wird man Sie mehr oder weniger diplomatisch fragen:
Alex: »Vielleicht bist du denen nicht attraktiv genug gewesen?«
Jede Verteidigungsrede wirkt hier peinlich. Selbstbewußtsein ist gefragt – wenn Sie es nicht ohnehin vorziehen, vornehm zum übernächsten Thema zu wechseln (also die Magie der »gleichen Wellenlänge«):
Conny: »Das kann ich ausschließen.«

Ihre bisherigen Blind Dates waren für beide Seiten ein Erfolg.

Conny: »Ich verabrede mich nur selten. Und nur, wenn wir am Telefon schon eindeutig einen Draht zueinander hatten. Aus diesem Grund gab es bei meinen Treffen nie Langeweile oder Peinlichkeit.«

Ihr Anrufer profitiert also von Ihrer Erfahrenheit.

## »Warum bist du immer noch Single?«

Conny: »In dieser Beziehung bin ich romantisch. Es muß auf beiden Seiten funken. Wenn es nicht funkt, ist es zwar auch nicht schlimm – aber dann läuft natürlich auch nichts in Richtung Liebe.«

Beschweren Sie sich nie über Ihre Blind-Date-Bekanntschaften. Es war nett und kurzweilig, aber es wurde nicht romantisch.

Alex: »Warum hast du es noch nicht aufgegeben?«

Conny: »Weil es mir auch Spaß macht, wenn es nur bei Kaffee und einem netten Gespräch bleibt. Ich habe es nicht eilig. Ich suche ja nicht krampfhaft nach einem Partner.«

Sie machen also trotzdem weiter, denn Sie sind kontaktfreudig, optimistisch und gutgelaunt.

## »Mit wie vielen Blind Dates bist du ins Bett gegangen?«

Selbstverständlich sind Sie mit niemandem intim geworden! Nur ein- oder zweimal haben Sie sich zum Küssen hinreißen lassen. Andernfalls könnte Ihr Gesprächspartner vermuten, Sie nähmen jeden und sähen auch in ihm nur eine Nummer für die Strichliste. Sex am Fließband ohne Liebe – das ist der negativste Eindruck, den man erwecken kann.

Sympathisch hingegen wirkt: Sie haben sich zwar mit einigen Personen getroffen, etliche haben gewiß auch versucht, eine attraktive Person wie Sie zu verführen. Sie haben aber charmant abgewinkt. Um diesen positiven Eindruck ins Unwiderstehliche zu steigern, könnten Sie nun fragen:

Conny: »Findest du das spießig und prüde?«

Wenn Sie später bei einem Treffen mit Ihrem Gesprächspartner Ihre Prinzipientreue ausnahmsweise zu vergessen vorschlagen, wird man es Ihnen nicht übelnehmen, sondern sich geschmeichelt fühlen.

# Kein Draht – was nun?

Ob man sich etwas zu sagen hat oder nicht, merken die meisten Menschen unterbewußt. Unter »Der Gesprächsverlauf« können Sie (ab S. 119) nachlesen, woran man erkennen kann, wie interessiert der andere ist.

Eine Arbeitspsychologin, die schon mehrere Beziehungen mit einer Annonce begonnen hat, sagte mir: »Wir alle geben uns der Illusion hin, daß eine Person – einschließlich uns selbst – erst dann ihren Reiz entfaltet, wenn man sie näher kennenlernt. Das stimmt leider nur sehr bedingt. Wenn man innerhalb der ersten zehn Minuten keinen Draht zueinander findet, ist die Chance gering, daß sich das irgendwann später ändern wird.«

## Neinsagen

Das diplomatischste Nein klingt oft nicht entschieden genug:

Conny: »Ich glaube, wir haben nicht genügend gemeinsame Interessen, um füreinander ernsthaft in Frage zu kommen.«

Alex: »Aber ich bin doch offen für alles.«

Will Ihr Gesprächspartner Ihr Desinteresse nicht akzeptieren, sondern um ein Treffen feilschen, müssen Sie wohl deutlicher werden.

Conny: »Ich sage dir ganz offen: Ich finde dich angenehm, aber irgendwie springt der Funke (bei mir) nicht über.«

Alex: »Du kennst mich doch gar nicht! Wie kannst du da so schnell so sicher sein, daß du mich nicht näher kennenlernen willst?«

Jeder Mensch reagiert (mehr oder weniger offen) beleidigt, wenn man ihm sagt, man interessiere sich nicht genügend für ihn, um ihn treffen zu wollen. Abgelehnte wollen immer eine Begründung des Gerichtsurteiles hören, sind dann aber noch verletzter als vorher und beginnen, auch den charmantesten Neinsager zu beschimpfen.

Alex: »Ich bin dir wohl nicht gut genug! Wenn du wüßtest, was dir entgeht! Du eingebildetes Arschloch!«

Gewisse Umgangsformen vermeiden diese Eskalation der Ablehnung und Beleidigung. Der Ablehnende übernimmt die »Schuld«.

Conny: »Du würdest mit mir nicht viel anfangen können. Wir haben zu wenig Gemeinsamkeiten. Nichts wäre schlimmer als ein Treffen, bei dem wir uns dann trotzdem ineinander verlieben.«

Neinsagen fällt schwer. Man will niemanden verletzen und fürchtet, von Enttäuschten angefeindet oder um peinliche Erklärungen gebeten zu werden. Trotzdem: Lassen Sie sich nie zu Verabredungen mit Personen drängen, die Ihnen eigentlich nicht liegen.

Verabreden Sie sich nie aus folgenden Gründen:

– Einsamkeit (»Er/Sie ist besser als nichts.«)

– Mitleid (»Er bettelte so lieb.«)

– Druck des Anrufers (»Ich traute mich nicht, nein zu sagen.«)

## Körbe bekommen

Wollen Sie wirklich wissen, warum Sie einen Korb bekommen haben? Sind Sie sich sicher, daß Sie nicht beleidigt sind, wenn man Ihnen z.B. sagt:
Alex: »Du bist mir zu langsam.«
»Ich stehe eher auf blond.«
»Du hast so eine belehrende Art.«
»Ich finde dich oberflächlich.«
Akzeptieren Sie ohne aufdringliche Rückfragen, wenn man sich nicht mit Ihnen treffen will. Eine Begründung des Korbes führt nie zu einer interessanten Verabredung. Fragen Sie höchstens ins Ausnahmefällen: »Was sollte ich künftig anders machen?«

# Verabredungen am Telefon

## »Wollen wir...?«

Sobald Sie sich sicher sind, daß Sie sich mit Ihrem telefonischen Gesprächspartner verabreden wollen, sagen Sie:
Conny: »Wir unterhalten uns eigentlich ganz angenehm, findest du nicht auch?«
Dann streuen Sie ein paar Komplimente ein, z.B.:
Conny: »Du bist geistreich, wir interessieren uns beide für Mozart, und außerdem gefällt mir deine Stimme.«
Schließlich geht es in die Zielgerade:
Conny: »Bestimmt würden wir uns bei einem Treffen auch nicht langweilen – selbst wenn wir auf den ersten Blick sehen, daß wir nichts miteinander anfangen wollen. Was meinst du?«
Weniger umständlich klänge das z.B. so:
Conny: »Hast du dich schon entschieden, ob wir uns mal treffen sollten?«
Wenn Sie sich nicht sicher sind, daß Ihr Gesprächspartner Sie treffen möchte, sollten Sie in Ihrem Vorschlag unbedingt anklingen lassen, daß es ein harmloses, kleines, unverbindliches und kurzes Treffen wird.
Conny: »Auf einen kleinen Kaffee, für eine Stunde oder zwei.«
Schüchterne Anrufer, die nicht einmal wissen, ob sie sich überhaupt mit irgendwem zu treffen trauen, sollten wissen:
Conny: »Wir könnten uns irgendwo treffen, wo du dich wohlfühlst.«
Gern auch tagsüber.

## Rückversicherung: Telefonnummern

**Frauen** nennen ihre Telefonnummern ungern. Sie befürchten telefonische Belästigungen vor oder nach dem Treffen. Männer sollten daher erst nach der Nummer fragen, wenn man sich telefonisch schon verabredet und die Dame ihnen sozusagen ihr Vertrauen ausgesprochen hat.

Conny: »Falls ich die Verabredung überraschend verschieben muß, wie kann ich dich rechtzeitig erreichen?«

In 80 % der Fälle wird nun die private Telefonnummer genannt.

Jürgen: »Wir verabschieden uns und legen auf. 10 Sekunden später rufe ich die Nummer an und sage, daß ich noch vergessen hätte zu sagen... – naja irgendeine Kleinigkeit, woran sie mich beim Treffen erkennen kann oder so. Meldet sich unter der Nummer niemand, werde ich sehr mißtrauisch.«

Will die Frau keine eigene Nummer nennen, so kann sie die Nummer einer (männlichen) Kontaktperson angeben.

Ich bin einmal von einer »kanadischen Stewardess« angerufen worden, die mir sehr spanisch vorkam. Nach einer Viertelstunde bat ich um ihre Nummer. Zögern. Dann ein Geständnis: Sie sei keine kanadische Stewardess, sondern ein Transvestit. Aber man sehe ihm nicht an, daß er ein Mann ist, und viele Heteros hätten es dann im Bett mit ihm sehr genossen.

**Männer**, die ihre (eigene!) Telefonnummer nicht angeben wollen, haben etwas zu verbergen. Fast immer stecken sie in einer Beziehung. Gern erzählen sie:

»Ich bin sehr viel unterwegs. Aber ein Freund von mir hat täglich Kontakt mit mir...«


## Die Gefahr des Versetztwerdens

Manche Leute vergessen ihre Verabredungen. Ich selbst war mit einer Fernsehmoderatorin verabredet, die mich auf eine Annonce angerufen hatte. Die zweite Verabredung – großes Essen bei mir – hatte sie vergessen. Eine Woche später saß ich in ihrer Wohnung zum Essen: Sie hatte vergessen einzukaufen; sie hatte vergessen, daß ihre Freundin zu ihr bestellt war, um mit ihr Englisch zu üben; sie hatte vergessen, mir zu sagen, daß noch drei weitere Freunde kommen wollten; als diese kamen, warfen sie ihr vor, daß sie die Party letzten Samstag vergessen hatte. Und wir alle wunderten uns, warum die Uhren in der Wohnung eine Stunde vorgingen. »Damit ich nicht ständig zu spät komme.« Sondern nur meistens.

Andere überlegen es sich kurz vor dem Treffen noch mal anders. Man wird in 10 % der Fälle versetzt, bei gutem Wetter häufiger.

Mit Vorbereitung, Anreise, Warten, Rückreise und Abbau des Ärgers kostet

Sie jedes Versetztwerden mindestens zwei Stunden. Wenn Ihr Treffpunkt nicht direkt um die Ecke liegt, kann sich folgende Methode bewähren:

Conny: »Wann verläßt du deine Wohnung, um zu der Verabredung zu kommen?«

Alex: »Dann und dann.«

Conny: »Dann rufe ich dich zehn Minuten vorher noch mal an.«

Oder umgekehrt:

Conny: »Ruf mich an, wenn du startest/dich umziehst.«

## Zeitlimit statt »Ende-offen-Verabredungen«!

»Wie soll ich den Abend überstehen, wenn mir mein Blind Date auf den ersten Blick unsympathisch ist?« Am Telefon fand man sich nett, aber beim Treffen war sofort klar: kein Interesse. »Dann stehe ich eben nach zehn Minuten auf, sage, du bist leider nicht mein Typ, und gehe.« Das wäre die Lösung, aber so unbarmherzig ist dann doch niemand. Mir erzählte allerdings ein Fernsehjournalist, er habe sich mit einer Frau getroffen, die seinen Brief, sein Foto und ein einstündiges Telefonat offenbar für gut befunden hatte, dann aber mit seiner Lebenseinstellung nicht viel anfangen konnte: »Sie war wahrscheinlich Grafikerin und gleichzeitig verkanntes Genie. Sie wollte den ganzen Tag nur zeichnen, sagte sie. Ich wollte lieber viel Geld haben und als Privatier mit Villa und Personal meinen Hobbys nachgehen. Ich hatte meine Suppe halb ausgelöffelt, da sagte sie mir: ›Danke, ich weiß jetzt genug über dich‹, bestellte die Kellnerin und ging.«

Die Angst vor einem endlosen Abend mit einer völlig unattraktiven Person ist so groß wie die Angst vor einem Partner, der nach ein paar Minuten das Treffen beendet, weil er einen zu unattraktiv fand. Mehrere Männer und Frauen erklärten mir in Interviews: »Ich habe sehr bald gelernt, daß man sich nie verabreden soll, weil man glaubt, der andere ist besonders hübsch oder so. Ist immer eine Enttäuschung gewesen.« Ein Tontechniker sagte mir: »Ich stelle mir vor, diese unbekannte Frau wäre ein Mann. Würde ich mich mit dem zwei Stunden lang unterhalten wollen?«

Verabreden Sie sich mit Zeitlimit.

Conny: »Wie wär's mit zwei Stunden – so lange dauert ein Kinobesuch einschließlich Werbung.«

Wenn Sie am Ende des Treffens auf die Uhr schauen, sagen Sie:

Conny: »Oh, wir haben schon 15 Minuten überzogen – wie Thomas Gottschalk in seinen besten Zeiten.«

So haben Sie elegant die Verabschiedung eingeleitet.

Die Untergrenze für ein Zeitlimit liegt bei 60 Minuten.

Conny: »Du lernst auf einer Party jemanden kennen, den du nett findest, aber du siehst gleich, daß du dich nicht in ihn verlieben könntest. Wie lange unterhälst du dich mit ihm, wenn er ein guter Gesprächspartner ist? Eine Stunde.«

Eigentlich würden zehn Minuten ausreichen, um eine Entscheidung zu treffen. Aber niemand geht auf derartige Verabredungen ein. Man möchte sich der »Fleischbeschau«-Situation entziehen, weil man Angst hat, zu eindeutig abgelehnt zu werden.

## Treffpunkte

Überlassen Sie dem anderen das Vorschlagsrecht.

Conny: »Ich möchte, daß du dich entspannt und sicher fühlst. Wo möchtest du dich treffen?«

Alex: »Weiß nicht.«

Conny: »Dann mache ich dir einen Vorschlag. Kennst du das Café...?«

Auf meine Frage: »Wo triffst du dich am liebsten?« erhielt ich ganz unterschiedliche Antworten:

Armin: »Bloß nicht in deinem Stammlokal! Ich saß einmal mit einer Frau im Café, da kamen zwei Leute an unseren Tisch und haben mich begrüßt. Davon hat sie sich den ganzen Abend nicht erholt.«

Bernd: »Ich schlage immer Treffpunkte vor, die gleich bei mir um die Ecke liegen. Sollte ich versetzt werden, muß ich mich wenigstens nicht über die anstrengende Reise aufregen.«

Ines: »In großen Lokalen (oder an anderen unübersichtlichen Treffpunkten) kann man sich verpassen. Bei meinem zweiten oder dritten Date kam ich zehn Minuten zu spät. Ich mußte zwei Männer ansprechen, und dann war ich doch mit dem Typen verabredet, der fünf Minuten nach mir eintrudelte, weil er im Stau hängengeblieben war.«

Man kann sich zwar nicht so leicht verfehlen, wenn man sich vor einem Haus, einem Schaufenster oder einer Telefonzelle verabredet. Im Winter führt langes Warten im Freien aber zu Erfrierungen, den Rest des Jahres kann es sehr naß werden. Draußen – auf dem »Präsentierteller« – kann man aus der Entfernung begutachtet und dann versetzt werden. Schlimm? Ja, aber andererseits wäre die Verabredung noch mehr verlorene Zeit gewesen als das Warten.

Für eine Frau ist es sehr informativ, aber nicht ganz gefahrlos, einen Unbekannten in seiner Wohnung zum Frühstück oder Kaffee zu besuchen. Sabrina: »Ich bitte eine Freundin, mich zu einer bestimmten Zeit bei dem Typen anzurufen. Nur zur Sicherheit. Das sage ich ihm aber schon bei unserem ersten Telefonat und dann noch mal, wenn er mir die Tür aufmacht. Sonst könnte es passieren, daß plötzlich die Polizei vor seiner Tür steht, nur weil er

sein Telefon leise gestellt oder den Anrufbeantworter angeschaltet hatte.«
Auch Frauen, die Männer zu sich in die Wohnung einladen, treffen ähnliche
Sicherheitsvorkehrungen. Annegret: »Er muß mir schon beim Telefonat seinen vollständigen Namen und seine Adresse sagen. Dann sehe ich im Telefonbuch nach und rufe ihn zurück.«

# Was man unternimmt

Die zentrale Idee des Blind Dates ist das Kennenlernen – und das heißt immer: ein intensives, ungestörtes Gespräch.
Daher sollte man sich beim Blind Date nicht zu einem **Diskobesuch** verabreden. **Kino, Theater, Konzert** produzieren ein sicheres Gesprächsthema
für die Stunden danach. Eine Krankenschwester hat mir allerdings folgende
Geschichte erzählt: »Ich habe mich zweimal zum Kino verabredet. Das erste
Mal war ganz gut. Man sitzt sehr nahe nebeneinander, kann sich riechen und
die ›Ausstrahlung‹ des anderen mitkriegen. Kein Problem, weil der Typ mir
sofort sympathisch war. Wurde noch ein super Abend. Der zweite Mann hat
mir aber auf den ersten Blick nicht gefallen. Du sitzt zwei Stunden neben
dem, er schaut dich immer mal wieder von der Seite an, du kannst dich nicht
richtig auf den Film konzentrieren, und es verdirbt dir den Spaß, wenn du
dir vorstellst, daß du dich gleich noch eine Stunde oder so mit dem in eine
Kneipe setzen mußt.«
Die klassische Verabredung findet im **Café** statt. Man achte darauf, im Win-
kel von 90 Grad zueinander zu sitzen. In dieser Konstellation kann man am
besten die Körpersprache beobachten. Der unsicherere Partner sollte mit
dem Rücken zur Wand sitzen dürfen. Ihr Gesprächspartner sollte die Möglichkeit haben, seinen Blick an Ihnen vorbei durch den Raum schweifen zu
lassen. Nur so können Sie an seinem Blickverhalten erkennen, wie er sich gerade fühlt und zu Ihnen steht.
In einem **Restaurant** sehen Sie gleich, wie appetitlich sich Ihr Partner im
Umgang mit Essen und Besteck verhält. Allerdings hat ein solches Treffen
einen für manche schon zu verbindlichen Charakter.
Wenn man sich gemeinsam **mitgebrachte Fotos ansieht**, muß man näher
zusammenrücken. Fotos dokumentieren die näheren Lebensumstände einer
Person, und man hat sofort etliche Gesprächsthemen. Fragen Sie daher am
Telefon:
Conny: »Besitzt du Fotos aus den letzten Jahren?«
Alex: »Klar.«
Conny: »Au toll! Ich sehe mir so gerne Fotos an. Von deiner Wohnung,
deiner Familie, deinen Bekannten, Partys – und natürlich von deinen

letzten Beziehungen.«

Alex: »Aber nur, wenn du mir auch Fotos zeigst.«

Ganz ungezwungen erfahren Sie, in welches Umfeld Sie sich begeben würden und an welche Qualität Vorgänger(innen) Ihr Blind Date gewöhnt ist. Gleichzeitig können Sie Ihr Leben vorführen.

Wenn Sie das Blind Date mit einem **Spaziergang** beginnen, können Sie am Blickverhalten sehr schnell bemerken, wie Sie auf Ihren Partner wirken. Im Café wäre es unhöflich, Sie beim Reden nicht regelmäßig anzusehen. Beim Spazierengehen ist häufiger Blickkontakt umständlich – und ein sicheres Zeichen für ernsthaftes Interesse.

Bei gutem Wetter können Sie einen Stadtbummel machen, Parks, den Botanischen Garten oder den Zoo besuchen. Sie können auch in geschlossenen Räumen spazierengehen – und haben automatisch ein Thema: Verabreden Sie sich zum Besuch einer **Ausstellung**, eines **Museums** oder zum **Kaufhausbummel**. Im Warenhaus können Sie Ihrer gemeinsamen Leidenschaft für Menschenbeobachtung und Lästern frönen und gleichzeitig den alltäglichen Geschmack (Kleidung, Möbel, Poster, Lampen, Geschirr, Nippes) Ihres Blind Dates testen. Sie können auch an einem **Einkaufsbummel** teilnehmen. Ihre Begleitung wird Sie um Rat fragen, Sie erleben sie in einer Alltagssituation mit Entscheidungen und leichtem Streß.

Man kann sich zum Billardspielen treffen, zum Musizieren, zum Schwimmen oder zu einer Fahrradtour. Die Nachteile überwiegen allerdings: Das **Hobby** lenkt zu sehr vom Gespräch ab, und man kann sich nicht spontan absetzen.

**Mit dem Auto abholen?** Der Fahrer versäumt die wichtigen ersten Minuten der Begegnung, weil er sich aufs Fahren konzentrieren muß. Aus diesem Grunde entfällt für die erste Verabredung auch die **Landpartie**.

# Absagen

Schärfen Sie Ihrem Gesprächspartner am Ende des Telefonates ein, daß Sie nicht versetzt werden wollen, aber eine Absage akzeptieren könnten.

> Conny: »Ruf mich bitte an, wenn dir doch etwas dazwischengekommen sein sollte oder du dir das mit dem Treffen anders überlegt hast. Ich werde keine Begründung von dir verlangen und dich auch zu keinem nächsten Termin drängen.«

Auch Sie selbst sollten unbedingt anrufen, wenn Sie nicht erscheinen können oder wollen.

# Das Blind Date

## Warten

Conny: »Stört es dich, wenn man nicht ganz pünktlich ist?«
Alex: »Ja, sogar sehr.«
Conny: »Dann bin ich ja beruhigt.«

Conny: »Wie lange wartest du, wenn jemand nicht exakt pünktlich zu einer Verabredung erscheint?«
Durch diese Fragen versuchen Sie zu ergründen, ob Ihr Blind Date sich wahrscheinlich verspäten wird.
Wie lange Sie selbst warten wollen, bleibt Ihnen überlassen. Manche Menschen bekommen nach zehn Minuten unheilbar schlechte Laune, andere verzeihen 40 Minuten Verspätung, wenn die entschuldigende Lüge süß genug vorgetragen wird.
Günther: »Warten fällt einem leichter, wenn man gemütlich sitzt, schon mal was bestellt und sich etwas Interessantes zu lesen mitgebracht hat. Man muß sich ja nicht unbedingt vor dem roten Telefonhäuschen gleich neben dem Haupteingang des Rathauses verabreden. Speziell nicht im Februar.«
Sehr gut fürs Warten im Café eignen sich auch Arbeiten wie Briefeschreiben oder Tagebucheintragungen. Ein Blumenhändler vertrieb sich mit einer besonders exotischen Beschäftigung die Wartezeit: »Steuerbelege sortieren. Das mache ich auch, wenn ich bei einem Arzt im Wartezimmer sitze.«

## Versetzt werden – und nachhaken?

Erfahrungsgemäß wird man bei 10 % aller Verabredungen versetzt. Soll man nun telefonisch nachhaken? Man kann. Hatte Ihr Blind Date die Verabredung tatsächlich nur vergessen, wird es nun ein furchtbar schlechtes Gewissen haben – Sie lassen sich zum Essen einladen. Gab es andere Gründe für das Nichterscheinen, bemerken Sie dies an ausweichenden Antworten, – »habe gerade keine Zeit« und »kann ich dich morgen oder so zurückrufen?«.
Hanne: »Erst hatte mich der Idiot versetzt. Dann hat er sich nicht mal telefonisch entschuldigt. Ich habe ihm dreimal was auf seinen Anrufbeantworter gesprochen, und er war zu feige, mich zurückzurufen. Dann habe ich ihn noch mal angerufen und den Hörer neben mein dudelndes Radio gelegt – bis sein albernes Band voll war.«

# Das Treffen

**Erkennungszeichen** gibt es viele. Ein Student sagte mir: »Am Telefon habe ich mir notiert, wie groß sie ist, wie alt, welche Figur sie hat, welche Haarfarbe, Frisur und so. Statt der Rose im Knopfloch vereinbart man, was man anziehen wird. Ich nehme mir zu jedem Treffen ein Buch mit. Außerdem habe ich immer einen Bleistift und einen Marker dabei, der auf dem Tisch liegt. Mich kann man nicht verfehlen.«

Am typisch suchenden Blick kann man blind Verabredete leicht erkennen. Das bestätigten fast alle meine Interviewpartner. Ulli: »Du kannst unterscheiden, ob jemand beim Betreten eines Cafés nach einem Bekannten oder einem Unbekannten Ausschau hält: Bei Blind Dates bleibt der Blick auf sämtlichen Personen länger hängen und wandert oft ein zweites Mal zurück.«

**Verwechslungen** kommen selten vor, aber Sie brauchen sich nicht zu schämen, wenn Sie einmal eine falsche Person ansprechen sollten. Peinlich wird es erst, wenn Sie erklären, wie es zu dieser Verwechslung gekommen ist, und daß man dies alles bitte nicht als blöde Anmache mißverstehen darf.

Wenn Sie sich in einem großen Restaurant verabreden, ist die Wahrscheinlichkeit der Verwechslung und des Verfehlens größer als bei einem Treffpunkt vor irgendeinem Haus oder an einer Telefonzelle.

**Kleine Geschenke** schaffen Sympathie und verpflichten den anderen. Klaus hat eine ganz individuelle Methode des Schenkens: »Präsente dürfen nicht zu groß, zu teuer oder peinlich sein. Der Blumenstrauß beim ersten Treffen im Café wäre unangemessen. Aber etwas so Albernes wie ein gut verpacktes ›Überraschungsei‹ wird immer ›witzig‹ gefunden. Ich hatte bei jedem Blind Date eines in der Jackentasche, und wenn mir die Frau auf den ersten Blick sympathisch war, habe ich es ihr geschenkt.«

## Der äußere Eindruck

Zur ersten Verabredung erscheinen die meisten in schickerer Garderobe als sie sie üblicherweise tragen. Fühlt sich Ihr Gegenüber in seinen Sachen wohl und sicher, oder hat es sich verkleidet?

Was hat sich Ihr Gegenüber zu lesen mitgenommen? Ist das Buch oder die Zeitschrift eher ein Dekorationsartikel, oder kann man ihm ansehen, daß schon darin gelesen wurde? Die mitgebrachte Lektüre ist ein wunderbarer Gesprächseinstieg.

Wenn sich Ihr Gegenüber nicht für Ihre Lektüre interessiert, dürfen Sie verwundert sein.

Wenn Ihr Gegenüber ein geschickter Opportunist ist, hat es sich weitgehend auf Ihren – am Telefon ersichtlichen – Geschmack eingestellt. Der Hochstapler versucht zudem, mit bestimmten Accessoires den Eindruck zu erwecken, er habe mehr Geld und einen üppigeren Lebensstil als in Wirklichkeit. Achten Sie auf Schuhe, Uhr, Schmuck etc., und fragen Sie evtl. nach der Vorgeschichte der Stücke.

### Wegrennen bei Schock

Immer wieder hört man: »Ich saß im Café und wartete. Die Tür ging auf, und ich hoffte: Lieber Gott, nicht der/die!«
Ablehnung auf den ersten Blick ist bei weitem häufiger als spontane Begeisterung. Aber was kann man tun, wenn der andere »fast schon ein Monster« ist?
Ungeschriebene Regel: Hat der andere schockierende Äußerlichkeiten verschwiegen oder Sie getäuscht, haben Sie das Recht, aufzustehen und zu gehen. Moralisch schwieriger liegt der Fall, wenn am Telefon nicht gelogen wurde, sondern Sie selbst vergessen hatten, bestimmte Fragen nach dem Äußeren zu stellen.
Am elegantesten kann man die Dauer eines Blind Dates in den ersten Sekunden der Begegnung abkürzen, indem man gehetzt erscheint und zur Begrüßung sagt:

> Conny: »Hallo! Ich muß unser Treffen gleich mit einer traurigen Nachricht beginnen. Ich habe nämlich leider nur höchstens eine halbe Stunde Zeit.«

# Der Gesprächsverlauf

Die wichtigsten **Gesprächsthemen** sind weiter oben schon ausführlich erörtert worden (siehe »Katalog der Themen und Fragen« ab S. 79). Beim Treffen ist – bei Sympathie – die Bereitschaft wesentlich höher, auch über so private Dinge wie die letzten Beziehungen und (nach 30 Minuten Anlaufzeit) sogar über Sex zu reden. Der Komplex der Äußerlichkeiten entfällt.
Im Prinzip gelten alle Hinweise aus dem Kapitel über das Telefonieren (S. 58 – 116).

### Die ersten Minuten

Verhaltensforscher konnten nachweisen, daß schon nach den ersten 30 Sekunden so gut wie feststeht, welche Einstellung man zu seinem Gegenüber hat. Diese Entscheidung wird unterbewußt gefällt, läßt sich aber für den

geübten Beobachter an Sprache, Blickverhalten, Gestik und Mimik erkennen. Schnell kristallisiert sich auch heraus, wer das Gespräch »führt« – wer also initiativ/dominant ist, und wer sich reaktiv/submissiv verhält.
Interessanterweise behalten die meisten Blind-Date-Konversationen auch über den Rest der Zeit den Charakter, den man in den ersten Minuten beobachten konnte.

**Gegenseitige Sympathie** zeigt sich besonders eindeutig: Wenn sich beide Gesprächspartner auf den ersten Blick gefallen, sehen und lächeln sie sich von Anfang an häufig an. In ihrem Gespräch treten keine längeren Pausen auf, man entdeckt immer mehr Gemeinsamkeiten (Interessen, Wesensart, favorisierte Verhaltensmuster). Je mehr Begeisterung der eine zeigt, desto begeisterter reagiert der andere. Die Sympathie schaukelt sich wechselseitig auf.
Hat nur ein Partner Interesse, richtet er sich in seinen Aussagen und Bewertungen ganz nach dem (verehrten) anderen. Er will gefallen. Der uninteressierte Umworbene versucht, im Gespräch möglichst viel Trennendes herauszustellen, um keine falschen Hoffnungen zu schüren. Meist erlahmt das **einseitige Interesse** des abgelehnten Gesprächspartners nach einiger Zeit.
Sind **beide Beteiligten uninteressiert**, schleppt sich das Gespräch von Anfang an dahin. Es enthält lange Gesprächspausen und häufige Themenwechsel. Niemand hat Lust, das Gespräch am Laufen zu halten. Man sieht sich kaum an.
Vergleichsweise selten kann man beobachten, daß sich **nach anfänglicher Unsicherheit** ein gewisses Interesse entwickelt. Die Blind-Date-Situation setzt Anfänger unter einen starken Streß. Viele fühlen sich in den ersten Minuten unsicher und unwohl. Sie kommen nicht aus sich heraus. In dieser Situation muß der dominante Gesprächspartner auflockernd wirken: interessiert und zustimmend auf den anderen eingehen und selbst einige Geschichten erzählen, damit der andere sich an ihn gewöhnen und Sicherheit gewinnen kann. Gleichzeitig sollte er aber nicht ins Monologisieren verfallen.

# Was tun, wenn man Bekannten über den Weg läuft?

Wenn es angemessen erscheint, müssen Sie Ihre Begleitung mit Namen vorstellen. Sollte man Sie fragen, woher Sie beiden sich kennen, sagen Sie: »Von früher.«
Sie dürfen es keinesfalls akzeptieren oder gar anbieten, daß der Bekannte sich »kurz« zu Ihnen setzt. »Entschuldige, aber das paßt im Augenblick nicht.«

Die Art des Treffens sollte Dritten gegenüber (erst mal) verschwiegen werden – unter Umständen sogar noch, wenn man schon eine feste Beziehung miteinander hat.

# Wiedersehen?

## Die Kunst des Abschiedes

Erstaunlicherweise berichten fast alle, daß der Abschied ihnen unangenehm war. Selbst wenn man den anderen von der ersten Sekunden an sehr unattraktiv fand, möchte man sich nicht gern sagen lassen, daß der andere nicht an einem Wiedersehen interessiert ist (»Obwohl es für eine so unattraktive Person doch besonders erstrebenswert sein müßte.«).

Je schneller Sie den Abschied über die Bühne bringen, desto weniger Peinlichkeit kann aufkommen.

Conny: »Vielen Dank für dieses nette Treffen. Wir haben uns ganz gut unterhalten, aber wir haben ja beide bemerkt, daß wir uns nicht ineinander verlieben könnten.«

Bei jedem sehr **direkten Abschied** warten Sie keine Antwort oder Rückfrage ab, sondern wünschen einen schönen Tag und gehen.

Etwas weicher klingt folgende Version:

Conny: »Ich wünsche dir ein paar tolle Treffen, viel Glück und vor allem natürlich, daß du dich bald mal wieder so richtig verliebst.«

Bei dem weiter verbreiteten **indirekten Abschied** verzichtet man bei der Verabschiedung auf weitere Vereinbarungen. Es kann Ihnen passieren, daß dieser Abschied nicht verstanden wird, man nach Verstreichen der Schrecksekunde hinter Ihnen herläuft oder Sie die nächsten Tage kontinuierlich anruft.

Am häufigsten begegnet einem der **konventionelle Abschied**:

Conny: »Wir telefonieren mal wieder bei Gelegenheit.«

Sollten Sie Interesse an einer Person haben, die sich so von Ihnen verabschiedet hat, dürfen Sie ein paar Tage später einmal telefonisch Ihr Glück versuchen oder zweimal eine Nachricht auf dem Anrufbeantworter hinterlassen. Haben Sie dann aber weder eine neue Verabredung noch einen Rückruf erhalten, vergessen Sie Ihre Ambitionen besser.

## »Ich möchte dich vielleicht (!) wiedersehen.«

Hat Ihnen Ihr Gegenüber optisch gefallen, nicht aber als Gesprächspartner? Oder fanden Sie Ihr Gegenüber menschlich interessant, aber nicht gerade attraktiv?

Über Annoncen trifft man sehr häufig Menschen, die man sich »eigentlich« nicht erträumt hätte, aber doch ganz nett findet. Welche Perspektive steckt in solchen Bekanntschaften? Wollen Sie eine vorübergehende Beziehung eingehen? Wollen Sie ein kurzfristiges Verhältnis oder platonische Freundschaft versuchen? Oder könnten Sie sich doch an diesen Menschen gewöhnen?

Stellen Sie sich vor, Ihr Partner findet Sie eindeutig interessant, aber Sie selbst sind sich noch nicht sicher, ob Ihr Interesse auch morgen noch für ein weiteres Treffen ausreicht. In diesem Fall sollten Sie vor dem Abschied die Initiative ergreifen.

> Conny: »Es war ein nettes Gespräch, und ich glaube, jetzt brauchen wir beide erst mal ein bißchen Zeit, um es auf uns wirken zu lassen.«

Wenn Sie keine ernsthaften Absichten haben, weil Ihnen Ihr Gegenüber nicht gut genug gefällt, Sie aber zu einer **unverbindlichen Affäre** nicht nein sagen würden, sollten Sie aus Gründen der Fairness andeuten, daß Sie davon abraten, sich in Sie zu verlieben.

## Der Beginn einer platonischen Beziehung

Erstaunlich häufig beginnt mit einem Blind Date eine freundschaftliche, aber »nur« platonische Beziehung. Man hat sich wunderbar miteinander unterhalten, immer mehr Gemeinsamkeiten und ähnliche Interessen entdeckt. Solche Freundschaften zwischen Männern und Frauen können Monate und Jahre halten, solange keiner von beiden »mehr« will als der andere.

## Abwimmeln nachfolgender Telefonate

Manche Menschen verstehen nicht, daß man an einer weiteren Bekanntschaft mit ihnen kein Interesse hat. Sie rufen nach einem Treffen an, teilweise mehrfach.

So wimmeln Sie ab:

> Conny: »Ich habe keine Zeit.«

In penetranten, unbelehrbaren Fällen sagen Sie:

> »Ich habe mich verliebt.«

## »Ich will dich auf alle Fälle wiedersehen.«

Je sicherer Sie sich sind, daß man auch Sie gern wiedersehen würde, desto direkter können Sie sich ausdrücken.

> Conny: »Mir hat dieses erste Treffen mit dir viel Spaß gemacht, und ich glaube, es gibt zwischen uns beiden noch mehr zu entdecken. Ich würde

dich gern wiedersehen. Was meinst du?«
Weniger forsch (und daher eher von Frauen verwendet) wirkt:
»Wenn du Lust hast, ruf mich an. Ich würde mich freuen.«
Wenn Sie davon ausgehen müssen, daß Ihr Partner gemischte Gefühle Ihnen gegenüber hat, können Sie es mit ein paar weiteren Minuten Werbung, Komplimenten und Nettigkeit versuchen. Aufdringlichkeit spricht immer gegen Sie.
Dann bieten Sie **Bedenkzeit** an.
 Conny: »Ich würde dich gern wiedersehen. Aber bestimmt willst du dir dieses Treffen erst mal durch den Kopf gehen lassen. Wir können ja in den nächsten Tagen mal telefonieren.«
So haben Sie ein zu schnelles und unumstößliches Nein vermieden. Außerdem kann es gut sein, daß Sie selbst zwei oder drei Tage nach dem Treffen keine Lust mehr haben, jemandem hinterherzulaufen, der beim ersten Treffen schon spröde war.
Erklären Sie Ihr Interesse unmißverständlich.
**Bedenken gegen Ihre Aufdringlichkeit** sind hinfällig, wenn Sie sagen:
 Conny: »Ich rufe dich in den nächsten Tage an, um mich erneut mit dir zu verabreden. Versprich mir, daß du mich diplomatisch abwimmeln wirst, wenn du keine Lust hast, mich wiederzusehen.«

**Wieviel Zeit muß man bis zum nächsten Telefonat verstreichen lassen?**
Wenn Sie schon am nächsten Tag anrufen, bekunden Sie damit großes Interesse und Selbstsicherheit. Lassen Sie sich ein paar Tage Zeit, sieht alles mehr nach reiflicher Überlegung aus.
Es ist immer noch so, daß fast alle Frauen davon ausgehen, daß der Mann die Initiative ergreifen und sich um sie bemühen muß.

## »Was machen wir mit dem Rest des Tages?«

Selbst wenn das Treffen auf zwei Stunden begrenzt war, können Sie bei eindeutiger und großer gegenseitiger Sympathie vorsichtig nachfragen, wie hoch die Bereitschaft ist, weiter mit Ihnen zusammenzubleiben.
 Conny: »Hast du heute noch Verabredungen?«
 Alex: »Nein.«
 Conny: »Hast du Lust, noch länger was mit mir zu unternehmen?«
 Alex: »Was schlägst du vor?«
Sollte einer von Ihnen beiden »zufällig« in der Nähe wohnen, können Sie sagen:
 Conny: »Hast du Lust auf eine Wohnungsbesichtigung?«
Sollte es erst früh am Abend sein, können Sie vorschlagen:

Conny: »Ich habe furchtbaren Hunger. Wenn dir das nicht zu aufdringlich erscheint, würde ich uns schnell eine Kleinigkeit kochen – und
dann können wir überlegen, ob wir ins Kino oder tanzen gehen wollen.«
Oder Sie laden sich bei Ihrem Partner ein:
Conny: »Hast du genug Vorräte, um einem anspruchslosen Hungernden
eine Kostprobe deiner Improvisationskunst zu geben?«
Alex: »Aber meine Wohnung ist ein totales Chaos.«
Conny: »Ich warte freiwillig fünf Minuten vor deiner Wohnungstür, bis
du alle Beweise versteckt hast.«

Conny: (aus heiterem Himmel) »Ich schlage vor: Wir verabschieden uns
jetzt. Aber vorher verabreden wir unser nächstes Treffen.«
Alex: (überrascht, leicht enttäuscht) »Ja, wenn du wirklich meinst.«
Conny: »Wir könnten uns das nächste Mal treffen, heute in einer –
Stunde. Bei mir.«
Alex: (lacht)
Conny: »Wollen wir uns das Taxi teilen?«


### Die nächsten Treffen

Hier unterscheiden sich Blind-Date-Paare nicht von anderen.


# Wenn mehrere im Rennen sind

Keine neue Bekanntschaft hat das Recht, Ihnen zu verübeln, wenn Sie in der
nächsten Zeit noch andere (bereits früher getroffene) Verabredungen haben.
Trotzdem: Ihr künftiger Partner findet es zumindest unromantisch, wenn Sie
nach dem ersten Kennenlernen offenbar noch das Gefühl hatten, es könne Ihnen in den nächsten Tagen jemand begegnen, den Sie interessanter finden.
Das schmeckt zu sehr nach **Viertelfinale und Endausscheidung.**
Behandeln Sie Ihre Verabredungen möglichst diskret. Wenn Sie überhaupt
von anderen Blind Dates reden, dann sollten diese in der Vergangenheit liegen und obendrein nicht zu einem Wiedersehen geführt haben, also »harm-
los« und »erledigt« sein.
Lassen Sie Ihren Terminkalender und Ihre Kontaktunterlagen nicht für jeden
einsehbar herumliegen.
Sollten Sie nach dem Kennenlernen Ihres nächsten Partners neue Blind Dates
ausmachen oder gar weiter annoncieren, wird dies als Beleidigung aufgefaßt
– niemand kann es ertragen, in Ihren Augen so offensichtlich mangelhaft
und nur **besser als nichts** zu sein.

Tanja erzählte mir, wie sie mit den »verbliebenen Kandidaten« umgegangen ist. »Ich hatte mich ein bißchen in Mathias verliebt. Er war zwar nicht ganz mein Traummann, aber immerhin... Jedenfalls habe ich – natürlich mit großer Geste – die zwei noch offenen Verabredungen abgesagt und allen Männern, deren Antworten noch ins Haus flatterten, geschrieben: ›Leider kam dein toller Brief eine Idee zu spät. Ich habe mich vor ein paar Tagen verliebt.‹ Mathias war natürlich sehr geschmeichelt.«

Mehrere meiner Gesprächspartner haben, auf diese Thema angesprochen, geraten: Interessante Briefantworten und Telefonnummern nicht voreilig fortwerfen – weder bei Überlastung oder Überdruß, noch bei »großer Liebe«. Man weiß nie...

Die Geheimhaltung weiterer Treffen fällt schwer, wenn man sich mit einem künftigen Partner oder (besonders schwierig) zwei Finalisten häufiger trifft, bevor man sich definitiv entscheidet.


# Die offizielle Geschichte

Nicht alle Kreise finden es akzeptabel, daß man sich über Annoncen kennengelernt hat. Entscheiden Sie sich beim zweiten Treffen, ob Sie Ihren Bekannten die wahre Geschichte oder die Version von der »zufälligen Begegnung« erzählen wollen. Für Absprachen mit Ihrem Partner ist keine Zeit, wenn Ihnen zufällig jemand über den Weg läuft und fragt: »Woher kennt ihr euch eigentlich?«


# Blind-Date-Profis

Bei manchen hat es schon beim zweiten Versuch gefunkt – bei anderen erst beim 18. Blind Date. Wer ungewöhnliche Ansprüche hat, sehr wählerisch oder sehr unattraktiv ist, muß viel Geduld aufbringen, um mit Kontaktanzeigen Erfolg zu haben. Vor allem die Suche nach einer überdurchschnittlich gutaussehenden Frau ist überaus mühselig – gutaussehende Männer lassen sich leichter finden. Wirklich erfolglos bleibt nur eine Minderheit.

Kontaktanzeigen kosten Zeit und sind anstrengend. Bedenken Sie aber auch, wieviele Stunden man sonst »investieren« muß, bevor man einen geeigneten Partner kennenlernt. Ob Partys, Kneipen und VHS-Kurse da effektiver sind? Außerdem wird man mit der Zeit routinierter. Telefonate dauern nicht mehr ewig lange, und man lernt, schon am Telefon die Interessantesten auszuwählen und sich seltener zu verabreden.

Mehrfachinserenten versuchen mit wechselnden Texten, die verschiedenen Eigenschaften ihrer Zielgruppe anzusprechen. Für zögernde DauerleserInnen bekommt der Mehrfachinserent durch eine Telefonnummer oder eine in allen Texten wiedererkennbare Formulierung allmählich ein Profil – und man getraut sich nach mehreren Ausgaben, natürlich nur aus reiner Neugier, den »alten Bekannten« mal anzurufen oder anzuschreiben

Nach ein paar Wochen kommt es bei den meisten zum Überdruß. Pausieren Sie – aber erklären Sie Ihrem Bekanntenkreis nicht zu voreilig, daß Sie für immer aufgeben. Wenn Sie nämlich ein paar Monate später wieder Lust auf Kontaktanzeigen bekommen, weil Sie noch immer Single sind, legt man Ihnen das evtl. als Versagen aus.

## Das Archiv

Um den Überblick nicht zu verlieren, sollte man sich von jedem Telefonat eine kleine Gesprächsnotiz machen. So erinnert man sich dann beim Blind Date, mit wem man es zu tun hat – auch wenn man in der Zwischenzeit etliche Telefonate und Blind Dates absolviert hat.

Alle Annoncen, die man beantwortet hat, schneidet man aus. Beim Telefonat bemüht man sich, durch ein paar Rückfragen einzugrenzen, mit wem man gerade telefoniert – ohne zu verraten, wie vielen anderen man auch einen Brief geschrieben hat.

Führen Sie ein kurzes Tagebuch, um die Anekdoten nicht zu vergessen, die Sie garantiert erleben werden.